ROUGE D'ORIENT

DU MÊME AUTEUR

Nuits afghanes, roman,
Montréal, Les Éditions Varia, 2000

Les Contes du haschisch, contes,
Montréal, Les Éditions Varia, 2002

YVES POTVIN

Rouge d'Orient

roman

●

LES ÉDITIONS
VARIA

Les Éditions Varia
C. P. 35040, CSP Fleury
Montréal (Québec)
Canada H2C 3K4

Téléphone : (514) 389-8448
Télécopieur : (514) 389-0128
Courriel : info@varia.com
Site web des Éditions Varia : www.varia.com

Données de catalogage avant publication (Canada) :

Potvin, Yves, 1950-

Rouge d'Orient

ISBN 2-922245-90-X

1. Titre

PS8581.Q834R68 2003   C843'.6   C2003-940680-6
PS9581.Q834R68 2003
PQ3919.2.P67R68 2003

Nous remercions le
Conseil des Arts du
Canada et la Société
de développement des
entreprises culturelles

(SODEC) de l'aide accordée à notre programme de publication.

Gouvernement du Québec • Programme de crédit d'impôt
pour l'édition de livres • Gestion SODEC

Couverture, maquette et mise en pages : Guy Verville
Photo de l'auteur : Ginette Vézina

Distributeur : Diffusion Prologue inc.
Téléphone : (450) 434-0306 / 1-800-363-2864
Télécopieur : (450) 434-2627 / 1-800-361-8088

ISBN 2-922245-90-X

Dépôt légal : 3e trimestre 2003
Bibliothèque nationale du Québec
Bibliothèque nationale du Canada

Imprimé au Canada

REMERCIEMENTS

Je tiens à remercier le Conseil des Arts du Canada de m'avoir accordé une subvention qui m'a permis de consacrer quelques mois de ma vie à la rédaction de *Rouge d'Orient*.

Sans cet appui, il m'aurait été impossible d'écrire ce roman et des personnages flamboyants comme Li-Tchen, Martin Launay et Mi-tchéou n'auraient jamais quitté le monde des fantasmes.

Je tiens aussi à souligner la précieuse collaboration des employées de la bibliothèque Gabrielle-Roy de Québec qui m'ont aidé, malgré mon manque d'enthousiasme pour l'informatique, à poursuivre ma recherche dans les méandres des exigences du monde moderne.

Toute vie est souffrance.
BOUDDHA

Avant-propos

L'Orient fascine. Il nous présente l'autre version de l'humanité. Contrairement à l'Occident qui exige l'éclairage cru sur toute question philosophique, l'Orient aime le voile du mystère.

L'Extrême-Orient de la fin des années 1940 fascine d'autant plus qu'il était demeuré lui-même, fidèle à ses traditions malgré les assauts du vingtième siècle.

Un peu perdue dans l'immensité de l'Asie, une terre exceptionnelle attisait les rêves des broussards de la plus haute volée. On appelait cette contrée étrange le royaume du million d'éléphants, ou encore, le royaume des pagodes.

Il s'agissait de l'incroyable Laos qui, depuis les rives du Mékong, laissait ses mythes, ses excès, ses superstitions et sa sagesse ensorceler les amoureux de l'aventure. Divisé entre le Nord et le Sud, partagé entre la douceur de vivre et la tyrannie de l'opium, ce pays composé d'une multitude d'ethnies vivait dans la terreur des esprits.

Parmi les Occidentaux qui ont répondu à l'appel du Laos, les missionnaires sont ceux qui m'ont le plus intrigué. Se rendaient-ils au royaume des pagodes par désir sincère de convertir bouddhistes et animistes, ou est-ce qu'un goût plus ou moins avoué d'exotisme, voire d'aventure, leur travaillait l'âme ?

Pourquoi devient-on prêtre? Que doit-on penser de toutes ces vocations issues de pressions sociales ou familiales? Ayant moi-même fréquenté l'école des missionnaires, d'abord celle des Sœurs Blanches d'Afrique, puis celle des pères Oblats, je me suis souvent posé ces questions. Je me souviens d'ailleurs d'une pièce de théâtre de fin d'année scolaire dans laquelle le personnage principal enviait le passeport du missionnaire vers l'exotisme des contrées lointaines.

Adulte, j'ai repensé à cette pièce. J'y voyais un missionnaire muni cette fois d'un passeport l'autorisant à rechercher le vrai sens de la vie. Je le voyais avec son visa de remise en question de son propre engagement, son sauf-conduit vers la grande aventure des passions humaines que le destin assaisonnera de tentations, de doutes et de découvertes.

Dans ce récit, j'ai volontairement laissé le doute planer sur les raisons ayant poussé mon personnage principal, Martin Launay, à se faire prêtre. Chacun sera libre de lui trouver, ou non, des circonstances atténuantes. De même, tout comme Martin Launay, chacun retracera dans sa propre vie une période de quelques mois qui aura tout bouleversé. Cette brève période s'amusant à sceller notre destin représente à mes yeux la grande énigme de la destinée individuelle. Le libre arbitre ne serait-il qu'un leurre?

C'est dans cet état d'esprit que j'ai composé le personnage de Martin Launay, missionnaire oblat lancé en 1948, à l'âge de vingt-huit ans, dans le mystère de l'Extrême-Orient.

PROLOGUE

Des siècles avant la naissance de Jésus, bien avant que l'empire romain ne parte à la conquête de l'Occident, le Bouddha enseignait les quatre Nobles Vérités.

La première ressemblait à une lapalissade : toute vie est souffrance. Ce qu'on nomme maladie, douleur, misère, insatisfaction ou mal définit la vie. La souffrance, *dukkha* en sanskrit, marque l'existence, qu'elle soit humaine ou animale.

Cette vérité première peut parfois nous échapper. Car l'humain, surtout l'imbécile qui vit de longues périodes sans ressentir la souffrance, s'imagine pouvoir échapper à la *dukkha*. Illusion entre les illusions, cette fausse perception ne le conduira qu'à d'amères déceptions.

Tôt ou tard, la *dukkha* le rejoindra. Qu'on le veuille ou non, elle finira par triompher. Toujours, depuis la nuit des temps jusqu'à la fin du monde. Toujours, sans aucune exception.

Chez les êtres qui auront refusé de comprendre le vrai visage de la vie, la mort amènera un mauvais karma. C'est quand on est encore en santé qu'il faut apprendre à se détacher de cette existence.

Le Bouddha savait que, dans son cœur, l'humain préfère nier la réalité. Il aime l'illusion du bien-être. Il s'agrippe à son individualité, qu'il croit immuable et immortelle. Illusion ! L'homme s'accroche à son moi, il cède facilement à sa soif d'agitation. L'humain cherche la satisfaction de ses désirs et de ses passions sans même se rendre compte que cette voie l'enfoncera dans le malaise.

Car les passions font naître un sentiment de malaise : *samodaya*. La deuxième des quatre vérités que le Bouddha tentait de faire comprendre à une humanité réticente à ouvrir son cœur à son enseignement. Toujours plus de puissance, plus d'argent, plus d'agitation. Qu'en ressort-il ? Le malaise. *Samoyada*.

Afin d'atteindre une certaine paix, il faudrait apprendre à faire taire notre propension à saisir ce qui nous entoure dans l'espoir de l'assujettir à notre plaisir. À bien y réfléchir, quel plaisir ? Quelques années sur terre, un moment de sursis avant la souffrance. Savons-nous au moins que notre recherche de jouissance nuit aux créatures vivantes, mortelles et vulnérables comme nous ? Il nous faudrait faire taire ce désir. En sanskrit, *mirodha* signifie l'extinction du désir. C'est la troisième des nobles vérités du Bouddha.

Il existe un chemin qui mène à l'extinction du désir : la voie du Bouddha, la *magga*, la quatrième des nobles vérités que le sage eut tant de difficultés à faire admettre. La *magga* conduit à l'état de calme, quand avec nos semblables on a enfin fait taire la haine, l'avidité, l'illusion. On devient alors *nibutta* : c'est-à-dire calme, en paix, serein, libéré de la souffrance et des désirs, prêt à accéder au nirvana.

Plus de deux mille ans plus tard, un prêtre chrétien qui s'apprêtait à affronter le tribunal de Dieu réfléchissait à la *magga*. Empreinte de moralité, de sagesse et de méditation, cette voie du Bouddha était-elle si incompatible avec celle de Jésus?

CHAPITRE PREMIER
La fin du parcours

Rimouski, été 2008.

Père oblat de Marie-Immaculée, ancien missionnaire au Laos, Martin Launay sentait la vie lui échapper. Oui, il s'était accroché à l'existence en refusant fièrement les nobles vérités qu'il tenait jadis en piètre estime. Il avait voulu percer les ténèbres du fatalisme bouddhiste pour apporter au doux peuple du Laos ce qu'il appelait la Bonne Nouvelle.

Aujourd'hui, à quatre-vingt huit ans devant la fin prochaine de son existence, le prêtre s'interrogeait sur ces nobles vérités qui lui avaient si habilement fait compétition. Launay, qui n'avait jamais été vraiment malade, connaissait la *dukkha* à la fin de son parcours. Il lui semblait qu'il avait toujours été souffrant, que sa vie entière s'était déroulée ici, sur un lit d'hôpital. La découverte tardive de la première vérité ne conduit qu'à des déceptions, car on ne peut plus rien changer à nos actes.

Sur son lit de mort, Launay aurait voulu jurer que les lumières de l'Évangile dissipaient aisément les ténèbres des religions issues de l'Inde. Il n'en était plus certain. Autrefois, on lui avait prédit que son souhait le plus cher serait de revivre l'époque où on l'avait enchaîné dans un cachot d'un hameau perdu au nord de Luang Prabang. On lui avait alors dit avec une douceur à en faire mal à l'âme :

« Martin, Martin, un jour tu deviendras vieux. Tu imploreras ton Dieu de t'accorder la grâce de te retrouver ici, dans ce cachot avec moi. Ta prière a été entendue, Martin, puisque tu n'es ni vieux, ni même âgé. Tu as toujours voulu me connaître. Ton âme me cherche depuis ta naissance. Je doute qu'il y ait une nouvelle chance. Vois-toi âgé, vois la vie qui s'éloigne de toi. Tu pleures. Tu supplies ton Dieu de t'accorder une heure avec moi. Une heure, et toute ta vie aura eu un sens. Cette chance, tu l'as, Martin. Tes supplications ont été entendues, puisque tu es aujourd'hui avec moi. »

C'était en 1948. Elle s'appelait Mi-tchéou, elle avait vingt-deux ans; lui vingt-huit. Comme cette époque semblait lointaine! Il était alors missionnaire, elle était… comment dire… courtisane, servante, catin? Elle était belle comme Dieu ne devrait pas l'autoriser chez les païennes, douce comme la caresse d'une divinité qui viendrait vous enseigner l'art de vivre. Mi-tchéou. Son nom sonnait comme la plus romantique des complaintes.

S'il interrogeait son cœur, Martin Launay, malgré la mort qui, déjà, projetait son ombre sur sa figure, savait que son dernier cri ne s'adresserait pas à Dieu. Ni Jésus, ni l'éternité, ni la *Bonne Nouvelle* n'arrivait à la cheville de son seul amour terrestre.

— Mi-tchéou, Mi-tchéou!

— Que dit-il? Vous connaissez la langue laotienne, père Florent. Il ne cesse de répéter ces mots dans son délire. J'aimerais connaître ses dernières volontés.

— C'est un nom de femme ! Le père Launay ne délire pas, il pleure de nostalgie comme ceux de sa génération qui ont trop longtemps séjourné au Laos.

— C'est-à-dire ? fit le père Quesnel, choqué par l'attitude condescendante de son confrère Raymond Florent, père oblat lui aussi.

— Des prêtres comme Martin Launay n'étaient nullement préparés à affronter la réalité de l'Asie. Ils caressaient une vision beaucoup trop romantique de l'aventure. Convertir le Laos au christianisme, quelle chimère !

— Nous sommes oblats, les missions d'Indochine nous revenaient par décret du Saint-Père ! Nous avons obtenu de nombreuses conversions au Ceylan, puis au Viêtnam. Pourquoi le Laos nous a-t-il échappé ?

— Tout nous a échappé, père Quesnel. Tout ! Même l'Occident serait aujourd'hui à convertir. Le scepticisme a remplacé la foi depuis belle lurette. Et quand les gens croient, c'est au tarot, à l'astrologie, aux guides, aux fantômes et aux extraterrestres ! Il est beau, votre Occident ! Au moins, les Laotiens sont demeurés bouddhistes, malgré leurs dirigeants communistes, faut-il vous le rappeler !

— Mi-tchéou, Mi-tchéou !

Le nom prononcé avec une infinie tendresse ressemblait à une supplication. Ulcéré, le père Quesnel se signait en se demandant pourquoi le vieux père Launay osait terminer sa vie en appelant une femme. Ça lui semblait indigne d'une fin de missionnaire. Rejoindre Dieu en laissant son âme implorer une catin d'Asie !

— Ressaisissez-vous, Launay, fit le père Quesnel un peu embarrassé par son propre fanatisme religieux. Pensez à la Vierge Marie. « Priez pour nous pauvres pécheurs, maintenant, et à l'heure de notre mort. »

— Mi-tchéou !

— C'est honteux ! fit le père Quesnel en toisant son confrère, Raymond Florent.

— Laissez-le donc à ses souvenirs.

— Je persiste à croire qu'il délire.

Le vieux Martin Launay ne s'intéressait pas vraiment aux deux oblats venus l'accompagner dans son dernier périple. Son regard fixait la fenêtre par laquelle il voyait une grosse branche de chêne élançant ses ramifications vers le ciel. Il espérait revoir l'écureuil qui, hier, gambadait sur cette branche.

— Je ne l'ai pas encore vu aujourd'hui.

— De quoi parlez-vous ? demanda le père Quesnel, conscient que Martin Launay demeurait fort lucide.

— D'un écureuil roux. Mi-tchéou les aimait tant !

— Ressaisissez-vous, Martin. Le père Florent et moi sommes venus vous apporter les secours de...

— Gardez donc les secours de la religion pour vos simplets, coupa grossièrement Launay.

— Vous blasphémez ! La douleur vous égare, père Launay.

— Toute vie est souffrance. *Dukkha* ! La bêtise de celui qui refuse de comprendre ce principe constitue une faute capitale.

— Chez les bouddhistes, peut-être bien… Mais vous êtes chrétien, Launay ! Vous seriez-vous laissé séduire par leur fausse religion ?

— Le fanatisme vous égare, père Quesnel.

— Que vous est-il donc arrivé au Laos ? Si vous vouliez vous confesser…

— Mes confidences tomberont dans d'autres oreilles que les vôtres, fit Launay avec une fougue surprenante chez un vieillard en fin de parcours.

— Ce n'est pas la première fois que je vois un des anciens du Laos sombrer dans ce genre de démence. Avant vous, le père Maizeret…

— Ne me parlez plus de celui-là !

— Attention père Launay, vous glissez sur la même pente qui mène…

Le prêtre coupa court à sa menace. Il n'osait pas prononcer le mot fatidique en ce moment si crucial pour Launay.

— En enfer ? compléta ce dernier avec un peu de sarcasme dans la voix. Vous pourriez au moins avoir la décence de finir vos phrases. Quant à Maizeret, ce sont des gens comme lui qui me pousseraient à croire en la réincarnation.

— Comment osez-vous…

— Allez détendez-vous, père Quesnel. Je brodais un peu en parlant de mes intuitions sur la réincarnation. Pardonnez-moi si l'approche de la mort me fait caboriner. Tout de même, me comparer au père Maizeret !

— Il est mort comme il a vécu. Dans la fange.

— Quel rat de chiottes !

Malgré la grivoiserie du mourant, Le père Quesnel ne put s'empêcher d'admirer le vieux missionnaire. Où trouvait-il la force de crâner ainsi ?

Devant l'attitude déconcertante du père Launay, qui oscillait entre l'humour noir et la nostalgie, le malaise des deux prêtres oblats dépêchés à son chevet devenait palpable. La présence d'un troisième visiteur dans la pièce les empêchait de pousser plus à fond leur conversation avec le mourant. Comme Launay avait lui-même exigé la présence du visiteur, il était hors de question de l'expulser.

Cet homme n'avait rien d'un prêtre, ni même d'un croyant. Par un curieux caprice qui saisit parfois ceux qui s'apprêtent à quitter ce monde, Martin Launay l'avait expressément demandé. Apparenté par un lointain cousinage avec le prêtre, le visiteur comptait une trentaine d'années de moins que le missionnaire. Il regardait la fin du parcours de cette vie humaine avec un mélange de curiosité et de compassion.

— C'est à toi que je veux me confier, fit le mourant avec beaucoup d'aplomb.

« Je doute fort que ce vieux croûton claque d'ici peu, se dit le troisième visiteur. Il va bien tenir un mois encore. »

Comme s'il avait entendu penser son lointain parent, le vieux missionnaire lui fit signe d'approcher.

— Ces deux corbeaux sont venus beaucoup trop vite avec leurs « secours », fit-il en clignant de l'œil. Comment veux-tu que je quitte ce monde avant d'avoir confié les secrets de mon âme à quelqu'un en qui j'ai confiance.

— Nous nous connaissons à peine.

—Vraiment? Moi je te connais. Tu avais huit ans. C'était à Trois-Pistoles en 1958. C'est moi qui t'avais conduit à la clinique de campagne après ton horrible accident au genou. Malgré la gravité de ta blessure, je t'ai trouvé peu pleurnichard pour un garçon de huit ans!

Le visiteur souriait au souvenir de sa première rencontre avec la grande vérité bouddhiste. Toute vie est souffrance. *Dukkha*. Il l'avait toujours su par instinct. Ses huit ans lui en avaient apporté la preuve car ce traumatisme l'avait depuis suivi chaque jour de son existence.

—Nous nous sommes revus par la suite, fit Launay. J'ai pris plaisir à suivre l'évolution de ta vie. Je te sais sensible, sensuel, cynique, sentimental et incroyant. Un beau mélange! J'ai souvent envié ton destin. Par retour des choses, j'aimerais que tu envies ma vie! Nous ne sommes pas si différents, tu sais. Quant à ces deux corneilles… elles pourraient maintenant se retirer et nous laisser discuter seul à seul.

Devant la force de leur confrère prétendument mourant, les deux oblats quittèrent la pièce en marmonnant des prières, des excuses et des encouragements.

—Je sais, je sais, vous reviendrez, lança Launay à leur intention. Laissez-moi d'abord revivre ma vie!

Puis, tournant les yeux vers la fenêtre d'où il espérait revoir l'écureuil, il ajouta: Mi-tchéou, Mi-tchéou!

—C'est honteux! ne put s'empêcher de s'indigner le père Quesnel.

Les deux oblats refermèrent la porte en quittant la chambre. Ils étaient scandalisés par l'incroyable esclandre d'un homme qu'ils avaient jadis admiré.

*   *   *

On devinera que le troisième visiteur, demeuré au chevet du vieux missionnaire, était l'auteur de ces lignes. Aussi, avant de raconter ce que fut la vie d'un des plus anciens broussards du Laos, il me faut apporter certaines précisions quant à l'exactitude des événements de ce récit.

Quand Las Cases rapporta les confidences de Bonaparte à Sainte-Hélène, il s'empressa d'abord de se présenter afin d'attester de ses qualités. Car on se demandera facilement : « De quel droit cet homme parle-t-il au nom des autres ? Peut-on accorder foi à ses paroles ? Que savait-il vraiment ? Quel démon tentateur lui aurait donc suggéré d'enjoliver ou de noircir le tableau à dessein ? »

*   *   *

Ces lourdes questions m'amènent à me présenter. Je m'appelle Yves Litalien, né à Trois-Pistoles le 14 janvier 1950. Toute ma vie, j'ai ressenti la *dukkha* que je jugeais incompatible avec l'existence d'un dieu de bonté. C'est pour cette raison que Launay m'a appelé. « Je te sais sensible, sensuel, cynique, sentimental et incroyant.»

Par intuition, il devinait que je serais réceptif à la sagesse de l'Orient, à son sortilège sur l'âme occidentale. Sensuel lui aussi, le vieux missionnaire savait que j'aurais flanché devant Mi-tchéou. Il avait besoin de se confier à un esprit cynique puisque sa confession, d'une honnêteté qui m'a fait chavirer l'âme, n'était possible que face à une intelligence refusant d'emblée les dogmes et les idées préconçues.

Sentimental à en pleurer devant la mort d'un animal, la beauté d'une fleur ou la détresse des pauvres, je crois avoir réussi à saisir les nuances des doutes du missionnaire chrétien lancé sans préparation adéquate dans la douceur de vivre laotienne.

«Incroyant». Comme j'aimerais croire! Ça aussi, Launay le savait. L'incroyant se dit: «Si je croyais, Dieu que je serais bon!» Le croyant juge plutôt: «Si j'étais athée, je ne vivrais que pour mes plaisirs!»

Fausses doctrines, car ces propos catégoriques proviennent de la passion qui, à son tour, provoque un sentiment de malaise. *Samoyada*. La sagesse consisterait à faire taire ses passions. *Mirodha*, l'extinction du désir.

Mais j'en suis incapable. Mon lointain parent, Martin Launay, le savait aussi. Je crois qu'il m'a confié le récit de sa vie, ou plus précisément des premiers mois de son aventure laotienne, pour me faire prendre conscience de mon propre cheminement.

Afin de m'en tenir au plus exact compte rendu des événements, je mettrai de côté mes convictions, de même que mes absences de convictions. Je m'ouvrirai au monde avec le cœur d'un homme de vingt-huit ans qui, plus tard, à la fin de son séjour terrestre, m'a fait suffisamment confiance pour me donner accès aux portes de son passé. Malgré presque six années passées au Laos, Launay ne me parla que des premiers mois. Ses propos sous-entendaient que son destin s'était joué en peu de temps et que plus rien de ce qu'il entreprit par la suite ne put infléchir le cours de sa vie.

Je me fierai à sa confession que je crois d'une absolue vérité. Je fouillerai dans les documents qu'il m'a laissés : ses notes, son journal intime, ses archives, ses photos, de même que sa correspondance électronique qu'il garda active jusqu'à la fin. Homme du vingtième siècle, Launay s'était assez bien ajusté aux innovations technologiques.

J'ai cependant dû effectuer mes propres recherches afin de retracer la géopolitique de l'époque et j'avoue avoir extrapolé au meilleur de ma connaissance ce qui s'est effectivement passé et dit entre les principaux personnages de cette étrange saga.

Les missionnaires ont déployé des efforts de titan pour convertir le Laos, avec des résultats décevants. Plus que décevants. Launay incarne à mes yeux une des raisons de cet échec.

Bien que peu porté sur la religiosité, je me suis intéressé à cet échec, car Martin Launay m'a juré se sentir heureux que le Laos ne se soit pas converti ! Sans le bouddhisme, le Laos ne serait plus le Laos.

Parce qu'il a tant aimé cette contrée, ses mœurs, son authenticité, je me dois de retracer, par respect pour mon vieux cousin, qui a vraiment été Martin Launay.

Je le vois rajeuni de soixante ans, la barbe noire, le regard perçant, l'âme angoissée malgré sa vocation. Cet homme longtemps épargné par la douleur physique connaissait les tourments de l'esprit. Bientôt missionnaire, il entretenait des doutes sur la finalité voulue par le Créateur. Il disait comprendre la peur mystique étreignant les premiers explorateurs européens à s'aventurer au plus profond des forêts de la Nouvelle-Guinée.

—La peur leur nouait la gorge, murmura Launay en débutant sa « confession ». Ce qu'ils découvrirent leur fit douter de Dieu !

CHAPITRE DEUX
Le cœur de feu

Nouvelle-Guinée, un siècle plus tôt.
Ottawa, février 1948.

Un sentiment de peur leur nouait la gorge. Ils étaient les premiers Européens à s'engouffrer dans la partie la plus reculée des forêts de la Nouvelle-Guinée. Leur crainte ne provenait ni de l'angoisse de la mort, ni de celle qu'on ressent en pensant aux fauves.

L'indicible malaise venait de l'émerveillement des explorateurs devant l'incroyable spectacle des oiseaux paradisiers. Pourquoi Dieu avait-il permis que tant de beauté se perpétue hors de la vue des humains ? Puisque les indigènes eux-mêmes ne s'aventuraient jamais dans ces parages, les fabuleuses bestioles n'avaient donc servi à personne ! À personne, depuis la nuit des temps.

Dieu parfait, tout puissant, infiniment ceci, infiniment trop cela, aurait-il créé cette explosion de beauté pour son seul plaisir ? La Création avait-elle eu comme objet de désennuyer Dieu ?

Tandis que s'imposait la pensée sacrilège, les hommes se surprenaient à éprouver une certaine compassion. Ce Dieu, imparfait au point de devoir tromper sa terrible éternité par ces merveilleux animaux volants, devenait soudainement plus humain, plus accessible. Ce Dieu à qui la tristesse rendait peut-être parfois visite s'avérait digne d'amour ; certainement plus digne que le potentat janséniste assoiffé de pureté auquel tenait tant l'Église.

À qui servaient ces constructions que seuls les oiseaux paradisiers savaient échafauder ? Quels yeux se tapissaient dans la jungle pour contempler leurs danses de séduction ? Qui s'enthousiasmait devant leurs nids décoratifs ?

Ces lourdes questions laissèrent perplexes les premiers humains à visiter ce coin du monde. S'ils n'avaient pas été chrétiens, les explorateurs auraient connu l'émerveillement sans en éprouver l'angoisse. Mais ils s'accrochaient au mythe de la Genèse, ils pensaient que Dieu avait créé le monde pour l'homme. Alors ils se dirent : « Où étaient ces yeux absents, incapables depuis des siècles de s'ouvrir sur le sens profondément artistique de ces oiseaux ? À quelles oreilles inexistantes s'adressaient leurs chants dignes des créatures des légendes ? »

Ils ne comprenaient plus. Ces hommes du dix-neuvième siècle croyaient en la finalité voulue par le Créateur. Un peu comme les marées qui existaient afin de faciliter la sortie des navires des ports, la beauté animale existait pour se faire contempler par les humains. Aucune bestiole ne saurait évidemment apprécier la notion de beauté.

Ces oiseaux étaient donc là, soit pour amuser Dieu, soit pour se faire contempler par d'autres oiseaux, hors de tout regard intelligent. Conscients de flirter avec le blasphème, doutant maintenant de leur propre foi, les hommes se signèrent par de petites simagrées vite expédiées dans le but de ménager Dieu.

La raison s'était dressée contre la foi. Elle avait durement secoué les broussards, car si Dieu avait créé hors de la mouvance humaine, il avait peut-être eu besoin de créer. Cet impératif interpellait la toute-puissance divine. La raison lézardait le mur de la foi, prenant plaisir à tourner la question dans tous les sens.

La peur tiraillait les scientifiques de cette époque. Elle leur suggérait que peut-être (oh! que de prudence dans ce « peut-être »), Darwin avait vu juste. Ces oiseaux vivaient dans l'unique but de se perpétuer. Leur beauté ne servait à personne. Et ces oiseaux inutiles aimaient la couleur, la fantaisie, l'esthétique! Ils dansaient, s'accouplaient, fondaient des familles. Ils se perchaient au haut des arbres pour chanter, non la gloire du père Éternel, mais celle de leur beauté soustraite aux regards des humains. De partout dans le brouillard de la jungle surgissait leur chant qui disait : « Je suis moi, je suis moi, et je veux vivre, vivre, vivre. » La conscience d'être.

Encore sous le charme des graves conséquences qu'aurait sur la chrétienté le constat d'une certaine forme d'intelligence animale, les explorateurs se mirent mutuellement en garde contre les dangers de l'anthropomorphisme. Mais leurs yeux avaient vu les palais que construisaient les oiseaux. Ces animaux modifiaient leurs nids selon des critères essentiellement esthétiques.

Tenez, celui-ci qui avait fabriqué un cercle de cailloux bleutés semblait maintenant réfléchir. Sa petite tête penchait vers la gauche quand, brusquement, l'oiseau changea d'idée. De son bec, il retira un caillou bleu du centre du cercle, puis le remplaça par une pierre orangée. Manifestement satisfait de l'effet de contraste, le paradisier entreprit de chanter bien fort sa victoire.

Sans ce voyage au fin fond de la Nouvelle-Guinée, aucune âme sur terre n'aurait contemplé pareil spectacle. Pour un paradisier, la vie se déroulait sans la nécessité de la moindre existence humaine.

Alors les hommes compliquèrent le problème. Ils se dirent : « S'il y avait des humains, mais pas de Dieu, peut-être que, pour ces oiseaux, la non-existence de Dieu ne changerait pas grand-chose. »

Cette angoisse de chrétien allait bientôt devenir la bête noire de tous ceux qui, au début du vingtième siècle, lancèrent des expéditions vers des terres inhabitées. Depuis des millénaires, les paysages de l'Antarctique n'avaient été, eux aussi, que pure inutilité. Un continent vide avec ses orques, ses pingouins, ses belles bêtes maintenant mortes depuis longtemps !

*   *   *

Martin Launay connaissait bien ces angoisses. À vingt-huit ans, prêtre oblat depuis déjà deux ans, bientôt missionnaire, prêt à risquer sa vie pour apporter la Bonne Nouvelle, il retrouvait son angoisse intacte chaque journée de sa vie. Pourquoi Dieu avait-il créé ? Ne se suffisait-il pas à lui-même ?

« Acte d'amour, acte d'amour. Façon de parler, se disait le jeune père Launay. Dieu aurait eu besoin d'aimer ! Ressentait-il un vide ? Comment peut-on aimer des êtres inexistants ? On me dira qu'ils étaient déjà en Dieu, en devenir. Va pour les beaux animaux. D'un autre côté, ce qui s'applique aux êtres esthétiques s'applique aussi aux dégoûtantes bestioles qui, nécessairement, proviennent de Dieu. Alors acte d'amour, question de point de vue. »

Oblat de Marie-Immaculée, le père Martin Launay n'osait plus étaler ses doutes à ses supérieurs. Il craignait de recevoir des réponses si décevantes qu'elles remettraient sa foi en question. Alors il parlait au mur de sa chambre, posant les questions que la raison lui suggérait :

— Si je crois au récit de la Genèse, marmonnait Martin Launay, je constate que ce mythe ne sert pas vraiment à expliquer l'origine du monde. Que la vie sur terre date de six mille ans ou de six milliards d'années reste secondaire. Seule compte la question de l'origine du Mal.

Martin se sentit envahir par la tristesse.

— La Bible tente d'expliquer le Mal. L'homme aurait, par sa faute de désobéissance, introduit le désordre dans la Création. Foutaise ! Et la souffrance des animaux préhistoriques ? Adam et Ève, qui n'ont probablement jamais existé, ne servent qu'à dédouaner Dieu. Sur la question du Mal, aucune explication ne saurait satisfaire la raison.

Malgré sa tristesse, Martin Launay souriait. S'il ne pouvait plus parler de ses doutes à ses supérieurs, il pouvait encore moins en parler aux fidèles. Car le moindre questionnement public risquait « d'égarer les simples ». Déjà cynique à vingt-huit ans, Launay se demandait si les simples, aussi bien dire les simplets, ne formaient pas les meilleures recrues.

Était-ce le diable (y croyait-il encore ?) qui lui susurrait ces doutes, ce cynisme, cette fierté de se savoir doté d'une vive intelligence ? Il ressentait en même temps un grand amour pour l'humanité, cherchant par la voie de l'amour le chemin qui mène à Dieu. Il s'y accrochait comme à la seule bouée offerte au genre humain. Sans Dieu, à quoi servirait la vie ? Peut-on être heureux et athée en sachant que tout se termine avec la mort ? Et le croyant, lui, souhaitait-il véritablement l'éternité ?

L'angoisse le tenaillait, car Launay abordait enfin la vraie question, celle qui le tourmentait depuis l'âge de raison. « Je suis terrifié par l'immortalité de l'âme, se disait le prêtre dans un élan de sincérité. L'idée de vivre éternellement pour des milliards et des milliards d'années m'accable plus que la perspective du néant. »

Souriant dans la pénombre de sa chambre, il dit au mur :

— Le beau missionnaire que tu feras, mon cochon !

Le trait d'esprit le réconforta avec sa connotation intimiste. Il y avait dans ce « mon cochon » une petite nuance salace susceptible d'apaiser, au moins un peu, l'angoisse d'une âme aussi tourmentée.

Il quitta sa chambre pour descendre à la grande salle de séjour aménagée à la résidence d'Ottawa des Pères Oblats. Il aimait l'atmosphère de ce bâtiment où une odeur de tabac à pipe sollicitait souvent ses narines. Il affectionnait ces vieux escaliers de bois, ce mobilier rustique parfois aussi sombre que l'acajou. L'idée de partir en mission au nord de l'Indochine française lui causait un pincement au cœur. Il ne pouvait plus reculer tant il avait insisté.

Avant de rencontrer encore ses supérieurs, le missionnaire s'interrogeait sur la sincérité de son engagement. N'y avait-il pas chez lui un goût de l'exotisme, voire de l'aventure, plus fort que le désir de convertir les âmes « égarées » du Laos ? On aura beau se dire homme consacré à Dieu, l'idée d'un voyage en Extrême-Orient livré à la tourmente avait de quoi séduire. On l'avait mis en garde, il avait balayé les objections du revers de la main.

Que souhaitait-il vraiment ? Réussir là où ses prédécesseurs avaient pitoyablement échoué, puis revenir ici, parmi les prêtres de paroisse, avec une belle fausse humilité brandie comme la plus abjecte démonstration d'orgueil ?

S'il souhaitait tant œuvrer parmi les plus pauvres, le Laos ne représentait pas le côté le plus sordide de la planète. D'accord, ces gens vivaient de façon modeste ; l'exotisme de leur mode de vie compensait cependant bien des inconvénients.

Pourquoi allait-il si loin porter la parole de Dieu ? Pour obéir à saint Paul demandant d'aller évangéliser les pauvres ? Peut-être. Mais les portes s'ouvrent devant le missionnaire. Les barrières sociales tombent comme par enchantement. On l'accueille partout, dans les palaces comme dans les chaumières. Il parle d'égal à égal avec les riches, les potentats, les sages et les pauvres. Sa robe le protège du mépris. Même en pays non chrétien, on reconnaît sa valeur. L'idée d'offrir à Dieu le don complet de sa personne impressionne jusqu'aux incroyants.

Dans la salle de séjour, Launay regardait des photos prises quelques années auparavant aux missions oblates d'Asie. Ces prêtres portaient la barbe. Ils avaient fière allure dans leur soutane blanche ceinturée de noir. Un gros chapelet placé de façon ostentatoire autour du cou se terminait en un crucifix qui leur descendait jusqu'au nombril. Ainsi accoutrés, ces hommes, grands pour la plupart, semblaient déjà en imposer aux petits Asiatiques. Ils avaient de la gueule, de la prestance, de la face à revendre.

Il y avait là un kitsch catholique, plus précisément une version missionnaire de la *bella figura*. Ils étaient Blancs, instruits, intelligents. On les surnommait les cœurs de feu. Launay porterait bien ce costume. Admirablement bien. Déjà, il l'avait essayé devant la glace de sa chambre. Ravi de l'effet, il ne put s'empêcher de laisser des pensées narcissiques caresser son âme. Faute vénielle dont la douceur vous réconcilie presque avec le péché.

Le prêtre regarda encore les photos. Il souriait puisque, comme Baudelaire avant lui, il voyait l'humanité, tel un seul Narcisse, se précipiter chez le photographe pour contempler sa triviale image. Ces missionnaires échoués au fin fond de l'Asie avaient-ils pensé à Dieu en fixant l'objectif ? Aux pauvres peut-être ? Ou s'étaient-ils plutôt souciés de faire bonne figure, laissant à la postérité le soin de fantasmer sur la vie dans l'Indochine de cette époque ?

En principe, le missionnaire vogue au-dessus de ces considérations, il offre un don complet de sa personne. Une soif d'amour le conduit au bout du monde. Prétextes ou raisons réelles ? L'amour ! Que connaissait-il de l'amour ? Savait-il au moins que ce sentiment n'obéit pas à notre volonté.

—À quoi rêvassez-vous encore, père Launay ? demanda affectueusement le père supérieur.

—En serai-je digne ? mentit à demi Launay.

—Allez, venez avec moi, fit le supérieur en le conduisant dans une pièce attenante.

Pour la vingtième fois peut-être, Launay eut droit aux consignes d'usage et au « résumé » de la situation. Depuis 1933, seize pères missionnaires français, belges et canadiens avaient œuvré une quinzaine d'années au Laos pour obtenir une quarantaine de conversions... et pas toutes de Laotiens !

Dans l'intervalle, l'Europe avait pris feu. La guerre contre l'Axe s'était déplacée en Asie. Le Japon avait porté un dur coup au prestige des Européens installés en Asie. Après la guerre, les prêtres retrouvèrent leurs églises pillées, les saintes espèces profanées. Certains avaient été emprisonnés par les Japs. L'enfer. La mission s'était terminée dans le désastre. Des prêtres malades, épuisés avaient dû regagner leur pays d'origine. Tout était à refaire, cette fois avec des hommes plus jeunes. Des cœurs de feu.

—Depuis 1946, la France a repris ses colonies d'Indochine, résuma le père supérieur.

Nous assistons néanmoins à la fin des empires. Tout s'écroule, Martin. Les Anglais ont perdu les Indes, bientôt ce sera au tour de la France de lâcher prise en Asie. Mais il y a plus grave…

Le père marqua un temps d'arrêt. Ses pensées allaient à cet Orient enflammé par la Révolution chinoise.

—Après les Japonais, fit-il comme à regret, les communistes s'en prennent maintenant à nous. L'Asie bascule dans la folie. Nous avons besoin d'hommes dévoués, Martin. Il n'est pas exclu que vous ne reveniez jamais de cette mission.

—Je sais, fit Launay avec détachement.

—Je vous en prie, ne le souhaitez pas. Présentement, la chrétienté du Laos se trouve dans un état pitoyable.

—Je tâcherai…

—Je sais, vous ferez l'impossible. Mais souvenez-vous, nous ne voulons pas de martyrs. Si nos prêtres se faisaient tuer en prenant des risques inutiles, la France pourrait bien décider de ne plus en accepter en Indochine.

Le supérieur marqua une nouvelle pause, comme s'il lui coûtait de poursuivre. Manifestement, la tâche l'accablait.

—J'ai ici un dossier sur un de nos missionnaires, le père Antoine Maizeret. Nous craignons le pire. Nous sommes sans nouvelles de lui depuis avril 1947. Il a été fait prisonnier dans la mission la plus dangereuse, au nord du Laos, à quelques kilomètres de la frontière chinoise.

—Vous savez bien que je ferai l'impossible pour le retrouver.

— D'étranges rumeurs circulent à son sujet. Il aurait paraît-il…

Le père supérieur baissa le ton. Ses yeux exprimaient la tristesse.

— Je ne voudrais pas accorder foi aux rumeurs, reprit-il. Il se pourrait pourtant que celle-ci soit fondée. Le père Maizeret se serait interposé entre des trafiquants d'opium et les villageois. En représailles, les bandits auraient drogué le père Maizeret. S'il est encore vivant, c'est maintenant un opiomane.

— La France n'interviendra pas en sa faveur, répondit Launay, résigné.

— Les autorités prétendent ne rien savoir. Dans la mesure où les bandits trafiquent de l'opium et non des armes, la France préfère fermer les yeux. Cette France autrefois si croyante ne s'occupe plus des missionnaires. La fille aînée de l'Église… Le pays d'Eugène de Mazenod. J'ai honte.

— Je tâcherai de me montrer digne de l'appel du Christ.

*   *   *

Avant de partir vers l'Orient, Launay souhaitait remplir encore ses yeux des scènes d'hiver. Homme du froid, il aimait la neige. Originaire de Rimouski, il recherchait l'air salin, la mer grise et froide. Launay aimait le son des cornes de brume, le bruit des vagues contre les rochers, le sifflement du vent.

Quittant le confort de la résidence pour aller marcher tranquillement dans la neige de la cour arrière, il sentit l'air froid de février lui mordre les joues. L'hiver lui manquerait en Asie. Mais il avait juré d'œuvrer parmi les plus déshérités de la terre. Il allait retrouver ses «brebis» du Laos, prisonnières du fatalisme bouddhiste. Il voulait, par un don complet de sa personne, évangéliser les pauvres.

Il fut soudainement pris d'un moment de doute. Ne devrait-on pas plutôt inculquer aux riches les principes de la charité chrétienne? Ces riches d'ici soi-disant chrétiens, forts en rites et en simagrées mais qui, en pratique, ne lanceraient que des miettes aux désespérés!

Tout à ses réflexions, il humait l'air glacial. Cette nuit, le mercure descendrait à −30°, un froid exceptionnel à Ottawa. Le genre de froid qui vous laisse croire que vos dents vont soudainement vous fendre dans la mâchoire. Launay souriait. Pour un Laotien, ce genre de crainte devait représenter le summum de l'exotisme!

*   *   *

Trois semaines plus tard, Martin Launay quittait l'Occident. Parti avec de bonnes intentions, entremêlées de motivations quelque peu nébuleuses, il débarqua au Laos à la fin du printemps de 1948. On l'expédiait d'abord à la mission de Luang Prabang puis, s'il s'acclimatait assez vite, on le lancerait vers le nord du pays, près de la Birmanie, à soixante kilomètres de la frontière chinoise. La mission la plus dangereuse: Muong Sé. Là-bas, une petite église dirigée jadis par le père Maizeret accueillait les rares chrétiens de la mission.

Muong Sé tombait en principe sous la juridiction de l'Indochine française. En principe.

CHAPITRE TROIS
Luang Prabang

Luang Prabang. Laos, 1948.

Une pirogue glissait silencieusement sur le Mékong. L'agilité de l'homme à la rame surprenait. Installé à l'avant, pagayant tantôt sur sa gauche, tantôt sur sa droite, il dirigeait sa barque en ligne presque droite. La pirogue s'élançait vers le soleil couchant.

Tel un disque rouge tombant vers l'embouchure du grand dragon d'eau, le soleil s'amusait à teinter de jaune et de pourpre cet étrange pays qui emplissait l'âme de Martin Launay. Le prêtre regardait les rayons transformer l'eau en flammes, le brouillard en fumée avant d'aller illuminer les montagnes.

Le Laos est un don du Mékong. Du Tibet à l'océan, « la Mère des eaux » s'étend sur plus de 4 000 kilomètres, dont près de 2 000 au Laos. Le fleuve irrigue les rizières, il offre ses poissons géants à des centaines de petites communes accrochées à ses berges. Parfois, un cours d'eau secondaire détourne une partie de sa sève, emmenant vers les terres plus profondes cette richesse bleutée essentielle à la vie.

Le Mékong sert d'axe de communication Nord-Sud. Des rapides, des cascades, parfois même des chutes spectaculaires parsèment pourtant ses embranchements. Sillonnée de pirogues et de sampans, « la Mère des eaux » irrigue le royaume des pagodes. La vie suit le fleuve. Sur ses rives, on découvre avec étonnement des montagnes aussi pointues que celles proposées par l'imagerie chinoise. Les montagnes font ensuite place à la jungle ; une jungle mystérieuse peuplée de créatures à faire rêver. On y retrouve encore des éléphants sauvages, des panthères, des tigres.

Partout, des *vats* (temples) aux toitures dorées brillent dans la lumière du soleil. Des centaines, des milliers de bouddhas semblent veiller sur le Laos. Le pays vous en met plein la vue. Vous pensiez voir l'Extrême-Orient, on vous montre l'Orient Extrême.

Trop de temples, trop de dorures, trop de costumes bigarrés. Il y a ici trop de bonzes en tunique safran, trop de verdure, trop d'eau. Tout est à l'excès, comme ces *bouns* (fêtes) dont le peuple semble si friand. Fête des moissons, des fusées, de la fécondité, de la lune et de quoi encore !

L'excès de chants (les Laotiens fredonnent sans même s'en rendre compte), l'excès de musique, l'excès de fêtes arrosées au *laoun*, cet alcool de riz servi au moindre prétexte, vous lancent dans l'Orient Extrême. On y succombe facilement. Car ici, tout est tentation. À commencer par les *phou-sao* (jeunes filles) dont la beauté trouble jusqu'aux âmes les plus dures. Habiles tentations qui vous guettent, de la *phou-sao* à l'opium, l'autre dieu du paradis laotien.

*   *   *

Le Mékong tient ses promesses d'exotisme avec ses falaises, ses grottes qu'on verrait facilement en repaires de pirates. Le pays vous enflamme l'imagination. Il évoque la mer de Chine, les anciens voiliers, les odeurs de jasmin et d'ylang-ylang. Comme dans vos stéréotypes les plus usés, vous voyez enfin de vos yeux des jeunes traverser les rizières paresseusement vautrés contre l'échine d'un buffle d'eau. Un peu plus loin, des paysannes au chapeau conique repiquent les plants de riz.

L'Orient Extrême c'est aussi la beauté surprenante de la femme laotienne qui porte avec tant de grâce une parure dorée dans ses cheveux noirs. La Laotienne a le sourire facile. Douce, simple, réservée, elle ressemble déjà à une réponse. On croit voir en elle la raison même de l'existence de l'homme.

Martin Launay regardait les pêcheurs jeter leurs filets en de grands gestes un peu nonchalants. Au Laos, on pêche pour se nourrir, mais aussi pour ramener au village les précieuses espèces de poissons qui, paraît-il, donnent de l'énergie sexuelle. Le prêtre haussait les épaules. « Les poissons du désir. » Était-ce encore une autre de leurs légendes ?

En poste à Luang Prabang depuis bientôt un mois, le missionnaire se surprenait toujours du paysage. Il regardait sans se lasser les maisons sur pilotis construites près du fleuve. Partout, des rizières s'avançaient dans le Mékong. On voyait ici et là des barrières de bois délimitant les parcelles. Un peu plus loin, des palmiers se mêlaient aux grands arbres. On aurait dit un tableau impressioniste.

Comme il était facile de se laisser bercer par une vue trop complaisante de ce coin de l'Orient, épargné par la surpopulation. Car, contrairement aux autres contrées du Sud-Est asiatique, le Laos bénéficiait des avantages d'une faible densité de population. À peine 10 personnes au kilomètre carré, souvent moins de 8 dans les campagnes.

— Encore en train de rêvasser, père Launay?

Le missionnaire se retourna, un confrère oblat le regardait avec bienveillance.

— J'ai un peu mauvaise conscience, répondit Launay. Je voulais œuvrer parmi les plus pauvres. Je ne les trouverai sûrement pas ici.

— Vous quitterez Luang Prabang bien assez tôt. Vous verrez, l'arrière pays vous réservera des surprises.

— Je ne comprends pas ce peuple.

— Personne ne le comprend, père Launay. Nous pensions arriver ici au royaume de Bouddha et du karma. Ce serait plutôt le pays du *Bo phen nam* qu'on nous a demandé de convertir.

Bo phen nam! Intraduisible mais signifiant «ça ne fait rien», ou encore «ce n'est pas grave» avec parfois, dépendant du soupçon de sarcasme dans l'intonation, une petite nuance de «qu'est-ce que j'en ai à foutre!» Belle maxime pour un peuple qui souhaitait simplement qu'on lui fiche la paix.

Dans ce royaume du «ce n'est pas grave» on paresse, on fête parfois pendant une semaine entière. Puis, on se prend de nouveaux congés au gré du cycle lunaire ou à celui de ses caprices. On se saoule au *laoun*, on glisse même dans l'opium. Et alors? *Bo phen nam!*

Et quand le missionnaire parlera à ces gens de Jésus mort pour eux sur la croix, ce sera encore du *Bo phen nam.* Tout un programme.

Launay soupirait. Si au moins ces drôles de bouddhistes étaient fanatiques ! Si seulement les Laotiens faisaient la guerre aux missionnaires, peut-être pourrait-il poser au martyr. Mais cette tolérance, ce pluralisme de l'Extrême-Orient le laissaient pantois. Toutes ces fêtes si païennes, si touchantes le blessaient dans sa foi.

— Ce peuple est à peine bouddhiste, père Launay, reprit son confrère. Officiellement, bien sûr, chacun suit les préceptes du Bouddha. En réalité, le bouddhisme du Laos se teinte d'animisme, du culte des âmes des ancêtres, si vous préférez. Ajoutez-y le chamanisme avec ce que cela implique comme superstitions et vous aurez un meilleur aperçu du tableau. Nous tournons en rond ici.

— Il y a moyen de percer le fatalisme bouddhiste.

— Vous verrez, Launay, vous verrez. Le Laos est un pays à convertir qui ne se convertit pas ! Nous enregistrons échec après échec. Personne ne sait pourquoi.

« Moi, au moins, je vais savoir de quoi il en retourne », se jura Launay en un réflexe non exempt d'orgueil.

Les deux missionnaires se dirigeaient vers l'église catholique de Luang Prabang. D'aspect romantique, le petit temple chrétien et son presbytère semblaient un peu perdus parmi la multitude de *vats* de la cité.

Luang Prabang. Nom étrange, ville étrange, qui avait jadis été celle des serpents mythiques avant de porter son nom de « Cité du Bouddha d'or fin. » Dominée par le temple du mont Phoushi, la ville a conservé son charme archaïque de capitale royale. Les façades de ses rues présentent de doux tons pastels, contrastant avec les teintes sombres des toitures et des auvents.

Parfois, une procession de bonzes portant ombrelle et robe orangée se rend en grandes pompes dans un des nombreux temples dorés. Cette ville de bois aux rues proprettes semble bien décidée à tenir son rang. Le Laos pourra changer de capitale, de roi ou de statut, la ville de bois aux innombrables bouddhas laissera l'or de ses pagodes monter vers le ciel. Pour un Européen, cette ville évoque une capitale mi-urbaine, mi-rurale désireuse de maintenir ses traditions malgré les assauts du vingtième siècle.

On dit, mais que ne dit-on pas ici, que des dragons se cachent près de Luang Prabang. On raconte même que, dissimulés dans leurs grottes sacrées, des ogres protègent la cité. Quiconque viendrait déranger ces gardiens périrait dans la journée. Au dix-neuvième siècle, des explorateurs faisant des gorges chaudes de ces racontars furent fauchés par les ogres. Grottes sacrées, grottes maudites. Depuis, plus personne ne s'était aventuré dans ces cavernes. Même les bonzes au cœur le plus pur en avaient peur.

La nuit tombait sur Luang Prabang. Le père Launay avait hâte de retrouver l'église de la mission, ce havre d'Occident perdu en Extrême-Orient. Il aimait assister à la messe. En ces instants si chargés de signification pour un prêtre, il s'imaginait que le Christ était présent dans l'assemblée. Présence réelle ou beau fantasme d'un cœur exalté ? Malgré la sincérité de sa foi, il ne pouvait s'empêcher de se poser la question.

Une odeur d'encens montait de l'autel. Assis au troisième banc, près de la nef, Martin Launay éprouvait des difficultés de concentration. Il pensait bêtement au repas qu'on lui servirait bientôt, à sa chambre qui l'attendait au presbytère. Dans ce pays bouddhiste prônant la sagesse et la médiation, lui, le missionnaire chrétien, évoluait dans le monde des sens. Il se reprochait sa faiblesse.

Combattant sa propension à la médiocrité, il contemplait l'imagerie catholique imprégnant les murs de l'église. Imagerie peu attirante avec ses christs sanguinolents, ses horribles reproductions de chérubins, ses personnages aux poses empruntées. Qu'est-ce que cette détestable iconographie avait à voir avec la vraie foi ? Osant à peine comparer ces représentations du monde spirituel avec celles des bouddhistes, Launay se sentit de nouveau travaillé par la faim. Faiblesse humaine. Il subit le reste de la messe en pensant à son repas. Demain, il s'en accuserait en confession.

Après la messe, il s'empressa de passer au réfectoire où son appétit, quelque peu déplacé en pays pauvre, le fit remarquer de ses confrères.

L'homme au ventre plein méprise la pauvreté du crève-la-faim. C'est ainsi, même pour un prêtre, car la satisfaction des sens bloque l'élévation spirituelle. La réflexion fit sourire Launay, qui essuyait maintenant les regards de désapprobation de ses collègues. À peine arrivé au Laos, il connaissait son niveau spirituel. D'après les critères bouddhistes, il stagnait dans les eaux boueuses du monde des sens. Le contraire même de l'Éveil, l'antithèse du Bouddha.

* * *

Peu préoccupé par sa faute qu'il considérait fort vénielle, Martin Launay s'endormit du sommeil du juste. La nuit de sommeil le ragaillardit à un point tel que, le lendemain, il négligea sa confession. Pourquoi se culpabiliser pour des peccadilles ? Un christianisme qui ignorerait l'essentiel au profit des détails lui semblait indigne d'être enseigné. Il allait œuvrer parmi les plus pauvres de la mission de Muong Sé. Qu'on ne vienne donc pas lui reprocher des fautes mineures de gourmandise ou d'inattention.

Assez mécontent de lui, il se promenait dans le matin de Luang Prabang. Il avait fière allure dans sa soutane blanche. Au détour du deuxième coin de rue, un jeune Laotien s'adressa à lui en un français acceptable.

—Monsieur mon père, vous partir bientôt pour le Nord sauvage ?

— Oui, répondit Launay en se demandant comment ce jeune homme pouvait être au courant de ses projets.

— Alors il faut attacher vos âmes !

— Allons, je suis chrétien. Je ne verse pas dans ces superstitions.

— Il le faut ! Très dangereux d'exposer ses âmes aux *phis* ! Ce serait grand honneur pour nous de vous faire un *bacci*.

— Un *bacci* !

— Une fête pour attacher les âmes à votre corps. Les *phis* ne pourront rien contre vous.

— Les *phis* ! Tu crois vraiment aux esprits des démons ?

— Beaucoup de *phis* à Luang Prabang, encore plus dans le Nord sauvage.

— Allons, je mets ma confiance en Dieu. Notre messe me servira de *bacci*.

Il ne put s'empêcher de penser comment, hier, il avait si bien escamoté la messe.

— Je ne crois pas aux *phis*, conclut-il en voyant le jeune homme attristé par son refus.

Le Laotien haussa les épaules et quitta le prêtre. Launay ne pouvait se défaire de la désagréable impression de se sentir épié. Depuis son arrivée à Luang Prabang, il aurait pu jurer que des yeux et des oreilles se tenaient à l'affût de ses moindres gestes. Il ne craignait pas pour sa personne, mais percevait de la méfiance dans le regard des habitants de la cité du Bouddha d'or fin.

Jusqu'à maintenant, ses confrères oblats prétendaient ne rien éprouver de semblable. On se méfiait donc de lui, de l'homme : Martin Launay, comme si les bouddhistes pressentaient l'existence d'une âme différente de celle des autres missionnaires.

Une âme plus forte, plus intelligente, plus dangereuse se dégageait de ce prêtre étranger. Launay se savait supérieur aux autres tant par l'intelligence que par la robustesse. Il avait ce charisme qui, peut-être, ouvrirait le cœur du Laotien.

Avait-il eu raison de refuser la fête en son honneur ? Le missionnaire passa la journée à arpenter le quartier nord-est de la cité, là où le Mékong se mêle à la rivière Nam Kane. Il était perdu dans ses pensées, tentant de reconnaître le visage du Christ dans le regard des Laotiens. Il n'y vit que des sourires.

Il regardait sans se lasser le ballet des pirogues et des sampans, laissant son esprit chercher Dieu dans ce monde bouddhiste. L'exotisme du pays le mettait mal à l'aise. Ici, l'absence du Christ semblait normale.

Au moment où il s'y attendait le moins, il sentit le contact d'une main sur son épaule. Il se retourna pour découvrir le visage énigmatique d'une très belle femme.

— Vous leur avez fait de la peine en refusant le *bacci*, fit-elle en un français presque sans accent.

— Je suis prêtre catholique, je ne vais quand même pas croire aux *phis*. Êtes-vous chrétienne ? demanda-t-il en estimant qu'elle avait probablement été instruite à l'européenne.

— Je suis bouddhiste, répondit la jeune femme en un léger reproche. Il faudrait accepter le *bacci*, père Launay, puisque l'intention est bonne. Vous n'avez pas à y croire, ajouta-t-elle en affichant un sourire à faire fondre les cœurs.

— Je ne voulais causer de tort à personne. Vous comprendrez pourtant qu'il me faut obtenir la permission de mon supérieur avant d'accepter une invitation à caractère religieux.

— Vous y réfléchirez ?

— Oui. Au fait, comment connaissez-vous mon nom ? fit-il en espérant que la réponse vienne confirmer son impression de se sentir espionné partout où il allait.

— Tout Luang Prabang vous a remarqué, père Launay. On raconte que le prêtre venu du froid possède un cœur de feu.

— On raconte beaucoup de choses, ici !

— Les Laotiens adorent les racontars, monsieur mon père ! lança-t-elle un peu moqueuse.

Elle quitta le prêtre pour se diriger vers le temple du mont Phoushi. Perplexe, Launay regagna lentement la mission.

* * *

— Ma patience a ses limites, fit valoir Clément Dumas, père supérieur de la mission. Vous somnolez à la messe, vous vous empiffrez au réfectoire, vous vous laissez approcher par n'importe qui. Depuis votre arrivée, vous faites le touriste, père Launay. À vrai dire, vous me décevez.

— Il était convenu que je m'acclimaterais avant de partir pour le Nord.

— N'ajoutez pas l'insolence à vos manquements. Je m'attendais à un peu plus d'humilité de votre part. Si vous persistez dans cette voie, je confierai la mission de Muong Sé à une personne plus fiable.

— Alors faites-le !

— Ne me forcez pas, Martin, à prendre des mesures disciplinaires.

— Prenez-les.

L'attitude de Launay déconcertait le père Dumas. Ce sourire en coin, cette expression de « je-m'en-fichisme » le mettaient hors de lui. Et pourtant, il savait que cet homme en inspirait aux Laotiens. Avec sa barbe noire, sa belle prestance physique, son regard brillant, Martin Launay avait ce qui manquait habituellement aux prêtres : un mélange de virilité et d'agressivité contenue, le tout assaisonné d'un esprit frondeur qui le rendait plus humain que ces ecclésiastiques par trop mielleux.

S'il lui retirait la mission de Muong Sé, Clément Dumas savait que Launay ne s'abaisserait pas à le supplier. Il partirait la tête haute, à moins qu'il n'aille frotter le plancher par fausse humilité destinée à faire comprendre aux autres que leur supérieur était une belle andouille à gaspiller ainsi un si bon missionnaire.

La scène qui opposa le père Launay à son supérieur devint presque orageuse quand Martin lui fit part de son intention d'aller au *bacci* offert en son honneur.

— En acceptant d'y aller, vous cautionnez ces idioties. Ils se feront un plaisir de crier de village en village que les missionnaires chrétiens croient à l'efficacité du « rappel des âmes. »

— Père Dumas, si vous m'interdisez formellement d'y assister, j'y renoncerai. Mais je vous supplie de me laisser vous exposer mes raisons.

— Soyez bref.

— Chacun prétend que ce foutu Laos ne se convertira pas et personne ne sait pourquoi. Comment voulez-vous que je dénonce leurs superstitions si j'ignore leurs croyances ? Quarante conversions en quinze ans, vous pensez vraiment qu'une nouvelle approche puisse donner des résultats plus exécrables ?

— J'ignore qui vous a renseigné, Launay, nous avons près de trois mille catholiques dans ce pays.

— Bien sûr, si vous comptez les Européens, les Birmans et les Annamites ! Mais combien de vrais Laotiens ?

— Plusieurs.

— Seulement si vous comptabilisez les Siamois et les Khmers installés dans ce pays. Combien de vrais Laotiens se sont-ils détournés du bouddhisme au profit du christianisme ?

— Très peu, je vous le concède. Personne ne sait pourquoi, d'ailleurs.

— Et si leur *bacci* représentait une des clés de l'énigme ? Les missionnaires y participent-ils ?

— Jamais ! fit le père Dumas, outré par la question.

— C'est pourquoi je veux y aller.

— Enfin, Launay, c'est du paganisme à l'état pur. L'humain aurait paraît-il trente-deux âmes que des démons tenteraient « d'aspirer ». Vous êtes fatigué, un *phi* vous prend une âme ; vous tombez malade, il vous en siphonne deux. À se tordre de rire !

—Comme notre échec dans cette charmante contrée. Si je comprends bien, le *bacci* ne se pratique qu'au Laos.

—Les autres peuples de l'Indochine n'y voient qu'un ramassis de superstitions de campagnards!

—Alors laissez-moi y aller.

—Je ne pourrai pas empêcher les bouddhistes de faire savoir que vous donnez dans ces balivernes.

—Prétendons alors que j'y assiste par politesse.

—Je les connais, moi, leurs politesses! La cérémonie va se terminer en *boun*, une fête bien arrosée à laquelle vous serez évidemment convié. Premières nouvelles que j'en aurai, j'apprendrai que le père Launay a été vu à quatre pattes, le corps et l'esprit imbibés d'alcool de riz.

—Vous pensez vraiment que ça se terminera ainsi?

—Non. Mais je connais nos Laotiens. Ils se feront un plaisir d'en remettre!

Le lendemain, Launay fit savoir qu'il acceptait de bonne grâce le *bacci* offert en son honneur. Comme le craignait le père Dumas, la nouvelle se répandit jusqu'au *vat* du mont Phoushi.

Tard en après-midi, quelqu'un frappa trois coups à la grande porte de la mission catholique. Le père Dumas s'attendait à ce que les bouddhistes expédient un bonze afin que tous sachent qu'une conversion en sens inverse pouvait parfois s'opérer. Maudit Launay, il risquait par sa bravade de compromettre la réputation des missionnaires. Le père Dumas s'apprêtait à répondre cavalièrement au bonze quand il vit qu'on avait plutôt délégué une très belle femme. Elle s'exprimait en un français presque parfait.

— Je viens chercher le père Launay, fit-elle en laissant ses yeux bridés cligner à deux reprises. C'est pour la cérémonie du *bacci*.

Le supérieur rageait. Comment s'était-il laissé prendre dans un piège aussi grossier ? Demain, sourire aux lèvres, on annoncerait au marché de Luang Prabang que le père Launay, entre deux achats de « poissons du désir » s'était fait conduire à la fête par une très belle *phou-sao*.

— Un instant, madame, fit Clément Dumas de très mauvaise humeur.

Il alla chercher Launay pour lui lancer avec ironie :

— Allez donc à votre rendez-vous, puisque vous en mourez d'envie.

Ses yeux reflétaient un mépris qu'il ne tentait même plus de dissimuler.

CHAPITRE QUATRE
Le bonheur païen

Luang Prabang. Laos, 1948.

Launay se tenait dans une petite salle attenante au *vat* du mont Phoushi. Une quinzaine
de personnes, dirigées par un bonze en tunique safran s'activaient autour d'un savant
arrangement floral disposé sur une table cir-
culaire. Martin devinait que les incantations
murmurées par les assistants s'adressaient à
des divinités pour lesquelles on avait disposé
des friandises enveloppées dans des feuilles
de bananier. Il reconnaissait des gâteaux de
riz, du sucre d'orge et quelques fruits. À bien y
réfléchir, le bonze semblait inviter les dieux à
s'associer à la rencontre.

—Que fait-il? demanda Launay au jeune
Laotien qui, le premier, l'avait convoqué à ce
bacci.

—Il invite les divinités à manger les sucre-
ries.

—Tu crois vraiment qu'elles viendront?
demanda le prêtre en affichant un sourire de
dérision.

Le jeune homme ne répondit rien, mais la
très belle femme, celle qui était venue le chercher à l'église, lui toucha doucement le bras.

—Les divinités étant invisibles, elles se
nourrissent de façon invisible.

—Vous y croyez?

— Et vous, croyez-vous que le vin de messe se transforme en sang du Christ ?

Launay perçut encore ce léger soupçon de reproche dans la voix de cette femme.

Le bonze s'adressa alors aux participants tantôt en laotien, tantôt en un dialecte thaï. La jeune femme traduisait les paroles du bonze :

« Nous sommes réunis ici, ce soir, pour rappeler les trente-deux âmes de notre ami Martin, qui nous quittera bientôt pour entreprendre un long périple vers les terres sauvages du Nord. Puisse la fatigue se tenir éloignée de lui, car même le cœur le plus pur laisse trop facilement ses âmes gambader dans les cercles fréquentés par les *phis*. »

« Ces *phis* cruels, perfides et tentateurs les attendront à chaque détour de la route. Ils guetteront le moment d'inattention de chacune des âmes de notre ami. »

« Je rappelle d'abord sa première âme, celle qui, comme la chèvre, aime courir dans les prés sans se soucier des démons qui lui veulent du mal. Retourne en Martin, âme douce, ne te laisse plus distraire par les ruses des démons. »

Martin souriait. Le romanesque de la cérémonie lui faisait prendre conscience de l'exotisme de ce pays si imperméable au christianisme. Il observait la figure du bonze. Son sourire de sérénité, son expression de compassion semblaient émaner d'une connaissance profonde du sens de la *dukkha*. Launay n'avait beau croire ni aux *phis* ni aux trente-deux âmes, il savait que ce bonze ressentait dans chacune des fibres de son être la première des quatre nobles vérités du Bouddha.

Toute vie est souffrance. Le *bacci* offert au père chrétien tentait d'atténuer cette souffrance en réunifiant ses âmes pour mieux résister aux assauts des mauvais esprits.

Le missionnaire n'éprouvait plus aucune envie de se moquer de ces gens. Pour la première fois de sa vie, il comprenait la force des croyances primitives. Il regardait les bougies qui, avec leurs petites flammes, ressemblaient elles-mêmes à des âmes. Certaines avaient été placées sous des plateaux de verre contenant de l'eau parfumée à l'huile essentielle.

— Quelle est cette odeur? demanda-t-il à la belle Laotienne lui servant d'interprète.

— Ylang-ylang.

Et Martin en voulut à ses supérieurs, à ces prêtres qui l'avaient si peu préparé à la douceur du Laos. Pourquoi ne pas lui avoir dit la vérité? Ils lui avaient caché que ces femmes d'une beauté exceptionnelle remettaient tout en question. Ils ne lui avaient pas dit que le *bacci,* malgré ses excès romantiques, vous frappait droit au cœur.

Car à mesure qu'elle avançait, la cérémonie offrait une description de plus en plus poétique des âmes de Martin Launay. Quand le bonze estima qu'elles étaient enfin toutes rappelées, il prit un ruban et l'entoura au poignet du missionnaire.

— Maintenant que tes trente-deux âmes sont en toi, elles te donneront la force d'affronter les *phis.* Que le Bouddha te protège, Martin, ou alors qu'il t'emmène avec lui dans un monde exempt de souffrance.

Chaque participant enroula un ruban, parfois deux, au poignet de Martin en lui souhaitant bonne route. Quand vint le tour de la belle Laotienne, elle s'attarda juste un peu trop longtemps afin qu'il connaisse la douceur de ses mains.

— Comment vous appelez-vous ? demanda le prêtre troublé par ce contact.

— Mi-tchéou.

— Vous travaillez au temple, enfin au *vat* du mont Phoushi ?

— Non.

— Pardonnez-moi, je ne voulais pas vous bombarder de questions.

— Pourquoi ce mensonge ? Vous voudriez m'en poser un millier ! N'en posez qu'une seule et je vous répondrai.

— Qui êtes-vous ?

— La trente-troisième âme, dit-elle en laissant ses yeux soutenir le regard du missionnaire.

*   *   *

Martin regardait les représentations du Bouddha ornant la salle. Des bas-reliefs sculptés aux murs de bois reprenaient en noir, or et ocre-rouge les diverses attitudes du Bouddha. Le cœur du missionnaire se serra. Il devait admettre que cette esthétique, jouant d'ailleurs à merveille contre l'orangé de la tunique du bonze, était sentimentalement plus attirante que l'affreux kitsch d'église. Les odeurs d'huile essentielle, de bois de santal, de noix de coco, elles aussi narguaient, par la subtilité de leurs parfums, l'agressif encens de messe qui vous prend à la gorge.

Pourquoi lui avoir caché le charme du paganisme ? On lui avait enseigné à considérer le Laos comme un pays enfermé dans les « ténèbres » du bouddhisme. Et voilà que les ténèbres lui illuminaient l'âme. En cet instant, il remettait en question son éducation d'homme blanc trop façonné par la certitude de sa supériorité.

D'un geste de la main, le bonze invita les participants à se rendre à l'extérieur de la pagode, dans une cour aménagée en jardin où attendaient quelques musiciens.

Éclairée par des torches dont les flammes frémissaient légèrement au vent, la nuit laotienne enlaçait Martin. Il se sentait le cœur léger puisqu'il était amoureux. À quoi bon nier ? Il l'était depuis que Mi-tchéou s'était présentée à lui comme la trente-troisième âme. Cette belle réponse de manipulatrice l'avait désarçonné. Il aimait le mystère de ses yeux bridés, la subtilité de son odeur. Ylang-ylang. Et son nom : Mi-tchéou. Dieu qu'il aimait ce nom.

En attendant que la musique commence, on servit aux convives de grandes coupes de *laoun*, un alcool de riz très fort qui réchauffa Launay. Là, dans ce jardin où brillaient les torches aromatisées à la vanille, chacun oubliait ses peines et ses soucis. Seul comptait l'instant présent, sans heurt, sans violence, dans la paix de la chaleur des autres. La magie de cette nuit, son premier vrai contact avec la délicatesse de l'âme laotienne, ne le quitterait plus.

Le son des *khènes*, mélange d'harmonica et de flûte de pan géante, se fit entendre. Bientôt le *so*, xylophone laotien, répondit à la complainte.

Une dizaine de jeunes filles, sorties d'on ne sait où, se mirent à danser en accord avec une musique étrangement sensuelle. La danse lente, langoureuse, dans laquelle les mouvements de la tête et des doigts semblaient indiquer aux dieux que le véritable bonheur se trouve sur terre émut le missionnaire. Parti avec la conviction de pouvoir briser l'emprise du fatalisme bouddhiste, il se laissait séduire par la simplicité païenne. Chaque note de musique étirait les lents mouvements étudiés des danseuses.

— La beauté de la jeunesse est nécessaire à cette danse, glissa Mi-tchéou à l'oreille du prêtre. Seuls des jeunes peuvent représenter les divinités.

Sans transition, elle rejoignit les danseuses. Plus langoureuse, plus suggestive que les autres, elle laissait son corps onduler aux accords des *khènes*. Elle dansait trop bien.

Son savoir-faire blessa Launay. Bien qu'il ne connût strictement rien de Mi-tchéou, il réagissait comme un amoureux déjà jaloux du passé de cette femme. Était-elle attachée à un homme riche exigeant qu'elle lui accorde ses faveurs ?

Le prêtre échafaudait des scénarios plausibles tout en se rappelant lui-même à l'ordre. À quoi bon se tourmenter puisqu'il quitterait prochainement Luang Prabang. Le plus tôt serait le mieux. Il mit son moment d'égarement sur le compte d'une sentimentalité excessive exacerbée au *laoun*.

Quand la danse cessa, Mi-tchéou vint le rejoindre avec un naturel désarmant. Le prêtre brisa l'instant magique de cette rencontre.

Rouge d'Orient

—Pourquoi seriez-vous la trente-troisième âme ? demanda-t-il, un peu soupçonneux.

—La réponse est en toi, Martin.

—Vous pensez vraiment être cette trente-trois…

La fin de la question lui resta dans la gorge. Mi-tchéou venait de lui toucher la main.

—Oui, dit-elle, et tu le sais toi aussi.

*   *   *

Le missionnaire éprouvait une certaine gêne à regagner le presbytère. Il savait qu'il se tenait à deux doigts de la chute. Comme la chute vient vite ! Un moment d'égarement, un sourire et tout se joue. Il n'aurait eu qu'à répondre à ces yeux qui semblaient le connaître.

Si Mi-tchéou s'était rapprochée de lui, elle aurait rendu la chute inévitable. Mais elle ne fit rien de tel, épargnant ainsi au père les faux remords, entremêlés du bonheur d'avoir nargué Dieu par le péché.

Mi-tchéou se retira. Le prêtre la regarda quitter les environs du *vat* du mont Phoushi, puis il regagna la mission.

*   *   *

—Alors, père Bacchus, fit le père Dumas amusé par les rubans accrochés au poignet de Launay, pas trop arrosé votre *bacci* ?

—Je ne crois pas avoir abusé du *laoun*.

— Vous ressemblez à un sapin de Noël. À en juger par cette débauche de rubans, je vois qu'ils ont savamment « rappelé » vos âmes folâtres.

— Père Dumas, pourquoi trente-deux âmes, pourquoi pas trente-trois ?

— Ne vous préoccupez donc pas de ces niaiseries. Vous avez déjà été assez poli en allant au-devant de leurs coutumes.

— Personne n'en aurait plus que trente-deux ? insista Launay.

— Ces gens-là croient en trop de choses, Martin. Ils disent parfois qu'il existe une trente-troisième âme. Certains la trouvent sur terre, d'autres non.

— Dépendant du bon vouloir des *phis* ?

— Mon Dieu, non ! Pour une fois, cela ne dépendrait pas d'eux. Voyez-vous, les Laotiens croient qu'à l'origine, chaque personne était plus qu'elle ne l'est présentement. Quand l'âme descend sur terre, elle se scinderait en deux personnes, d'où l'impression de ressentir un manque tout au long de sa vie. Ils croient que, quelque part au monde, existe la deuxième partie de soi-même.

— Je ne comprends pas.

— Les Laotiens disent que quand l'homme et la femme éprouvent le coup de foudre, c'est que chacun a reconnu sa deuxième partie. Par extension poétique, ils appellent parfois l'être aimé la « trente-troisième âme ».

— Est-ce une croyance bouddhiste ?

— Plus ou moins. Il s'agit surtout d'une superstition issue de cette maudite coexistence laotienne entre bouddhisme et animisme. Du paganisme à l'état pur, Martin. En allant à leur *bacci,* vous avez cautionné ces sornettes à faire rire un cheval. J'ose espérer qu'après avoir bu de leur *laoun,* vous n'avez pas été danser le *Vo lam* en soutane.

— Je me suis contenté de regarder.

— Vous avez eu tort, fit Dumas plus narquois que jamais. Avec votre crucifix d'une main et vos rubans de païen de l'autre, vous y auriez fait sensation ! Au fait, quelle était la première âme rappelée par le bonze ?

— La chèvre, je crois.

— Ma foi, ils n'avaient pas entièrement tort, nos bouddhistes de carnaval. Et la dernière ?

— Je ne me rappelle plus.

— Même pas foutu d'espionner correctement les païens ! fit le père Dumas avec bonne humeur.

Puis mi-sérieux, mi-badin, il ajouta :

— Je vous envoie pourtant à Muong Sé, puisque je crois en vous. Je vous prierais à l'avenir de vous en tenir au christianisme, à moins, bien sûr, que notre religion ne soit pas assez bonne pour vous.

Ce n'était pas un reproche, plutôt une taquinerie du supérieur qui, manifestement, ne croyait pas aux trente-deux âmes. Le père Dumas marqua une pause, puis reprit son propos :

— Si vous tenez absolument à vous prémunir contre l'attaque des *phis,* vous devrez prendre trois précautions. La première : il vous faudra garder vos rubans durant trois jours ; défense de les enlever avant. La deuxième : vous sacrifierez un poulet aux *phis* avant de partir. Ce serait encore mieux si vous demandiez à un bonze d'officier la « cérémonie ».

—Et la troisième ?

—Si d'aventure vous rencontriez un *phi* déguisé en tigre, en caïman ou autre bestiole du même acabit, regardez-le droit dans les yeux. Il ne faut jamais lui tourner le dos.

—Il m'attaquerait ?

—Les Laotiens pensent que le *phi* viendrait vous mordre les fesses. Ne riez pas, Martin, ils y croient. En fait, ces gens-là croient à n'importe quoi, sauf en Notre Seigneur Jésus-Christ, évidemment. Le Laos forme un mélange de bouddhisme, d'animisme et de superstitions. Là où vous irez, ils auront même des chamans !

Redevenant étrangement sérieux, le père Dumas ajouta :

—Allez à Muong Sé, Martin Launay. Apportez-leur les lumières de la vraie foi. Ce peuple est doux, il pourrait s'ouvrir au christianisme. Ces gens ont en eux une certaine notion de charité, de bonté qui, parfois, me serre la gorge. Le Christ attend ce peuple sur la route. Ces gens ne le savent pas encore, mais ils sont proches de lui. Que votre vie soit un témoignage, Martin. Montrez-leur le chemin qui mène à Dieu.

—Priez pour moi, je ne suis par sûr d'en être digne.

Launay était sur le point d'avouer l'émotion que Mi-tchéou avait fait naître en lui quand le supérieur coupa court à ses réflexions :

—Vous avez de l'étoffe. Ils le savent. Les bouddhistes pressentent en vous celui qui pourrait atténuer leur emprise sur le peuple. Peut-être avez-vous eu raison d'assister au

bacci, peut-être pas. Je ne suis plus certain.
Que Dieu vous garde, Martin.

*   *   *

Le soleil se levait. Deux grandes pirogues accostées à un des nombreux quais de Luang Prabang ondulaient sous l'effet des vagues du Mékong. Launay inspectait attentivement les moteurs hors-bord (des Johnson 9 hp) dont dépendrait son destin. Compte tenu de la distance à parcourir d'ici à Muong Sé, il était hors de question de pagayer.

Les mains pleines de cambouis, il vérifiait les systèmes d'allumage, inspectait l'état des cordons de mise en marche, s'assurant au passage de la solidité du système de rétention de l'hélice.

Le prêtre fouilla dans ses bagages afin de voir encore une fois à ce que les pièces de rechange et les outils nécessaires à d'éventuelles réparations soient bien à leur place. Il éprouvait le besoin de se rassurer par ces vérifications. Durant ses années de noviciat, Launay avait insisté pour suivre trois formations de base n'ayant, en apparence, rien à voir avec la religion : mécanique, survie en forêt et médecine d'urgence. Mieux vaut un missionnaire pratique qu'un théologien faisant ânonner ses catéchumènes sur la sainte Trinité.

On s'activait autour de lui. Trois jeunes Laotiens, non chrétiens mais aimant bien les missionnaires, l'accompagneraient jusqu'à Houei Tha, près de la frontière birmane. Houei Tha marquait la dernière étape avant d'entreprendre le périple qui mène au Nord sauvage.

—Père Launay, fit Clément Dumas en arrivant sur le quai de bois. Je dois vous remettre votre passeport et les sauf-conduits pour vous et ces trois jeunes gens.

Il lui tendit les papiers.

—Une fois à Houei Tha, il vous faudra une nouvelle autorisation pour aller de l'avant. Vous ferez estampiller vos papiers par les représentants de la République française. Le poste de contrôle est dirigé par un militaire, un certain commandant Desmoulins. Brave homme, mais bouffeur de curé.

—Anticlérical ?

—Agnostique, plus ou moins athée. Un homme cynique, plus sarcastique que malfaisant. Un bon bouffeur de curé !

—Et c'est maintenant que vous me le dites !

—Allons, je ne voulais pas terrifier ma meilleure recrue en lui annonçant que ce *phi* déguisé en républicain comptait lui mordre les fesses !

—Nous sommes missionnaires dans un pays où les Européens ne croient plus à rien !

—Allons, Launay, ce Desmoulins ne vous mettra pas le bois dans les roues. Il va un peu râler, mais il vous donnera l'autorisation d'aller à Muong Sé. À sa manière, évidemment…

—Que voulez-vous dire ?

—Il agrémentera ses remarques de commentaires déplacés. «Tu veux aller à Muong Sé, mon père ? Tu veux boire du *laoun*, puis faire *jig-a-jig* avec la *phou-sao* ? Hein ! mon bouc lubrique !»

— C'est un représentant officiel de la République dans l'exercice de ses fonctions qui parle ainsi ?

— C'est surtout un de ces tordus que la République encourage presque à nous cracher au visage.

— Comment ose-t-il ?

— Vous verrez.

— Je vais lui faire comprendre ce qu'il peut faire de son autorisation…

— Non, coupa le supérieur. Nous avons besoin de sa coopération. Depuis la disparition du père Antoine Maizeret, nous devons faire preuve de prudence. Je crois que ce Desmoulins sait quelque chose à propos du père Maizeret. Devenez son ami et tirez-lui les vers du nez !

— Pourquoi ne pas se plaindre de ce mauvais militaire ?

— Officiellement, Desmoulins ne sait rien. Mon intuition me dit pourtant le contraire. Devenez son ami.

— Je ferai tout ce que je peux pour le père Maizeret.

* * *

Les deux pirogues rejoignirent bientôt le centre du Mékong. Ce n'est qu'en quittant Luang Prabang que Launay en saisissait la splendeur. Son regard s'attardait sur la sérénité émanant des pagodes. Il vit un jeune bonze en tenue jaune et safran accoudé à la colonne d'un portail de *vat*. Ornée de bas-reliefs, la façade du *vat* scintillait d'or. Launay y vit un raffinement architectural déclassant la grisaille des églises chrétiennes. « La crasse gothique », se dit-il un peu surpris par son propre cynisme.

Si toutes les religions se valent, avait-il le droit de changer la foi de ce peuple ? « Donc, elles ne se valent pas », se dit-il. Par conséquent, tout ici est faux comme le toc. Faux comme la beauté trompeuse de ces pagodes, de leurs ornements. Faux comme les crêtes de faîtes en serpents stylisés que les Laotiens avaient sculptées au-dessus des pagodes pour se protéger des mauvais esprits. À se tordre de rire.

Malgré ses qualités décoratives, l'art laotien maintenait ce peuple dans l'erreur. Et l'erreur n'avait pas de droits. D'où le droit de l'Occident de convertir ces païens, avec amour peut-être, mais surtout avec une poigne digne de l'Inquisition. Launay sentait en lui l'éternelle lutte du Bien et du Mal. Il y avait un Mal chrétien. À quoi bon nier ?

Dans son cœur, il y avait surtout la beauté de ce pays. Les pagodes témoignaient d'un grand sens de l'art décoratif. Le prêtre comprenait l'interaction du plein et du vide. Les deux s'entremêlaient sans concéder le moindre espace mort.

Le vide et le plein, le chaud et le froid, le yin et le yang, l'homme et la femme. Lui et Mi-tchéou, entremêlés, enlacés à en mourir de bonheur. Un bonheur impossible. Un bonheur païen qu'il fallait au plus vite sacrifier de bonne grâce à Dieu.

CHAPITRE CINQ
Le premier phi

Ouest du Mékong. Laos, 1948.

À quelques kilomètres de Luang Prabang, le Mékong refuse de monter plus au nord. Il tourne brusquement sur l'ouest, allongeant son énorme bras vers la frontière birmane.

Le missionnaire doit alors faire un choix. Prendre ce détour interminable, ou quitter la protection du fleuve et tenter de rejoindre Muong Sé par des pistes de jungle. Des pistes de broussards, parfaites pour jouer au martyr.

« On ne choisit pas vraiment », se dit Launay soudain conscient de la fausseté du libre arbitre. On suit le fleuve parce qu'il le faut, non parce qu'on le choisit. Au Laos, la ligne droite représente rarement la distance la plus courte. On lui avait bien fait comprendre : « À moins de connaître parfaitement le terrain, demeurez toujours près du fleuve. »

Ce pays vit par le Mékong, la « Mère des eaux ». Que le missionnaire s'amuse à l'oublier et on le retrouvera vite désorienté, paniqué, si ce n'est dévoré par les fourmis rouges. Dans ces conditions, le libre arbitre s'avérait fort relatif. La décision était prise d'avance de se rendre à Houei Tha afin d'y rencontrer les quelques fidèles de l'endroit tout en faisant l'aimable avec le commandant Desmoulins. Beau libre arbitre. Avec son carnet de bord à l'itinéraire trop précis, Launay réagissait comme si on lui avait volé la beauté de l'aventure.

Il devait tenir la barre du hors-bord depuis à peine deux heures quand les jeunes gens de la seconde pirogue lui indiquèrent par de grands signes de la main qu'ils comptaient accoster au rivage. Le prêtre vit quelques maisons de pêcheurs.

— Pourquoi s'arrêter ici? s'impatienta le missionnaire. Nous avons encore du carburant.

Launay consulta son carnet et annonça:

— Selon l'itinéraire, le prochain arrêt se trouve à Ban Lai.

— Il faut accoster ici, cria le Laotien.

Les deux pirogues rejoignirent la côte. Launay était sur le point d'admonester le jeune timonier quand il vit un éclat de frayeur passer dans ses yeux.

— Qu'y a-t-il? Pourquoi t'arrêtes-tu ici?

— Ban Kay. Je connais ce village. Les pêcheurs me feront un prix d'ami.

— Nous sommes déjà bourrés de provisions!

— Il me faut un poulet et une jarre de *laoun*.

— Ah non! Tu ne vas pas te mettre à sacrifier aux *phis*!

— Monsieur mon père, nous n'avons rien sacrifié quand nous étions à Luang Prabang.

— J'espère bien!

— Nous avons sauvé la face du prêtre étranger. Personne n'a vu le bonze chrétien faire des offrandes aux esprits. Maintenant, c'est à toi de respecter nos coutumes.

Les pêcheurs accueillirent le prêtre et les trois jeunes hommes avec amabilité. Au milieu des salutations et des sourires, on marchanda le prix des achats. Launay se disait que ces gens simples, prisonniers du culte des esprits, étaient eux-mêmes un peu coupables de cet obscurantisme.

Un sorcier de Ban Kay approcha. Il s'agissait d'un devin, probablement un bonze défroqué à la suite d'une ancienne histoire de fornication. Le sorcier s'avança lentement, en se ménageant des poses empruntées. Sa démarche, sûrement très étudiée, dégageait une impression d'irréalité, comme s'il flottait à un demi centimètre du sol. Il sourit au poulet à sacrifier aux esprits, il le prit alors presque avec tendresse, puis, soudainement, il tordit le cou du volatile en fixant Launay d'un regard énigmatique.

— Allez maintenant au large du fleuve, père chrétien, dit-il satisfait de l'effet de son changement d'humeur.

Le devin se pencha et soupesa la jarre de *laoun* qu'il tendit à un des jeunes Laotiens accompagnant Launay.

— Vous apaiserez Nguoc avec cette jarre.

Se tournant vers Launay il ajouta :

— Je ne suis pas ton ennemi, prêtre étranger. Mais ne deviens jamais le mien, car je connais des *phi-phops*.

Launay se força à ne pas rire. Comment cette charogne osait-elle sévir si près de Luang Prabang !

— Ne ris pas, étranger. Méfie-toi plutôt de la voleuse d'âmes. Maintenant, prenez cette jarre et allez apaiser Nguoc.

Les pirogues quittèrent les quelques maisons sur pilotis. Enfermé dans le ressentiment,

Launay en voulait aux jeunes gens de l'avoir fait rencontrer ce premier sorcier du parcours. Quel charabia : un poulet pour les *phis*, du *laoun* pour Nguoc.

Arrivée au milieu du fleuve, la seconde pirogue s'immobilisa. Launay éteignit le moteur de la sienne.

— Le sage nous a dit de laisser tomber la jarre ici, fit le Laotien de la seconde pirogue.

— Parce que vos *phis* boivent de l'alcool… rétorqua le missionnaire.

— Nguoc n'est pas un *phi*. C'est une sirène du Mékong.

— Et vous comptez la saouler pour qu'elle nous fiche la paix !

— Il faut apaiser la sirène, père. Surtout celle-ci, la voleuse d'âmes.

— Et les *phis* ?

— Si tu entends des sons étranges cette nuit, sois certain qu'un *phi* nous surveille. Si tu vois des fantômes, ce seront eux.

— Bien sûr, bien sûr, croyez-y donc si vous voulez.

— Il faut respecter nos croyances. Toi-même, mon père, tu portes les rubans du rappel des âmes.

— C'est vrai. J'ai eu tort de céder à vos invitations. Attendez, vous allez voir ce que j'en fais, moi, de vos rubans !

— Père, tu fais le brave parce qu'il fait jour. Tu es comme l'homme qui se vante devant les femmes. Cette nuit, tu t'accrocheras à tes rubans.

— Niaiseries !

— Tu n'as pas peur ?

— Des communistes et des trafiquants d'opium, oui. Mais pas des *phis*.

— Et les sirènes ?

— Laissez-moi rire.

— C'est toi qui attire Nguoc. Pas nous.

— Parce qu'il s'en vient une sirène ?

— Oui.

— Tu sens ça, toi ?

— Oui. Elle t'attend. Ici, là-bas, peut-être aussi seulement à Muong Sé. Mais elle t'attend.

— Elle veut me dévorer tout cru ?

— C'est une voleuse d'âmes.

— Assez de superstitions. Vous voyez mes rubans ?

Launay s'empressa de les défaire en les coupant rageusement à coups de canif. Il les lança à pleines poignées dans le fleuve.

— Je suis chrétien, railla-t-il, je ne crois pas aux voleuses d'âmes, aux sirènes et à Nguoc.

Les trois Laotiens regardaient avec crainte le poignet dénudé du prêtre.

— Très mauvaise malchance quand on les enlève avant trois jours.

— Les enlever ! Tu parles que je les ai enlevés. Je les ai balancés aux chiottes du Mékong.

— Très mauvaise malchance.

— Par curiosité, dites-moi donc quand la sirène, cette belle Nguoc, commencera à m'aspirer l'âme.

— Elle a déjà commencé, père Launay. Par prudence, je vais lui offrir la jarre de *laoun*.

— Faites donc, répondit le missionnaire en regardant la jarre d'alcool de riz couler au fond du Mékong.

Avait-il eu raison de se moquer si ouvertement de leurs coutumes ? Launay ne le savait pas. Il avait l'intention de refuser désormais la moindre concession au paganisme. Il était un cœur de feu, pas une chiffe molle tremblant devant les fantômes.

—Maintenant, cap sur Houei Tha ! Je ne m'arrêterai pas avant le prochain poste de ravitaillement.

Son poignet fit faire un tour complet à la poignée du moteur. Le prêtre donnait plein gaz. Le moteur gronda comme un tigre bien docile. L'embarcation se souleva et partit en un sillon d'écume. Debout à l'arrière, Launay ne vérifiait même pas si l'autre pirogue le suivait.

Il était splendide dans sa soutane blanche. Ce départ en accéléré concluait à merveille son geste de bravade. Il avait envoyé ses putains de rubans aux chiottes devant les Laotiens stupéfaits de son culot. Quel geste ! À défaut de l'aimer, on le respecterait.

En voyant la pirogue de Launay filer à vive allure vers l'ouest, le sorcier du village de Ban Kay se tourna vers les deux petits bouddhas veillant sur ce bled de pêcheurs. Sans le bouddhisme, le Laos ne serait plus le Laos. De quel droit cet étranger voulait-il imposer sa religion de l'homme crucifié ?

—Le maître craint ce prêtre, confia le sorcier à un pêcheur.

Le maître, c'était Li-Tchen, le potentat de Muong Sé qui, déjà, savait que Launay irait dans le Nord sauvage.

— Dites aux Hmongs que je les rencontre-
rai ce soir, fit le sorcier. Je n'aime pas l'attitude
de ce chrétien.

Un pêcheur fit un petit signe de tête. Il connaissait les quelques Hmongs des environs.

* * *

De tout temps, les Hmongs accaparaient
une part importante du commerce de l'opium.
Ils s'adonnaient à la culture du pavot et à sa
contrebande avec une ferveur quasi religieuse.
Car, contrairement aux pirates, bandits et magouilleurs de haute volée, ils accumulaient
des lingots d'argent sans pour autant aimer
la richesse. Les Hmongs entreposaient les
lingots à titre de provisions pour l'au-delà.

Dans des endroits connus d'eux seuls, ils
enfouissaient des jarres d'argent, année après
année. Cette thésaurisation, désastreuse pour le
commerce, ne profitait à personne. D'immenses cruches remplies de butin parsemaient
donc le Laos sans que personne ne sorte de la
pauvreté.

Les Hmongs se contentaient de peu, mais
aimaient paraître, portant fièrement le costume montagnard aux pantalons bouffants
serrés au bas des jambes. Leurs vestes de satin,
souvent somptueuses, indiquaient qu'ils
étaient les rois de l'opium.

Facilement sorciers, les Hmongs s'adonnaient au culte des ancêtres sans pour autant
négliger les plaisirs de ce monde. Car ces
polygames se targuaient de la beauté de leurs

femmes, plus flamboyantes dans le geste et dans le costume que celles des autres ethnies.

Sourire aux lèvres, la femme Hmong, reconnaissable à sa coiffe brodée, portait avec fierté des colliers d'argent provenant du commerce de l'opium. On prétend que, tout comme les hommes, elle affiche une fierté méprisante devant les doux paysans incapables d'oser cultiver le pavot.

Personne ne trouvait à redire puisque tous préféraient fermer les yeux sur le trafic. Même les autorités de l'Indochine française comptaient parmi les clients officiels des Hmongs. Dans la mesure où ces magouilleurs trafiquaient de l'opium, et non des armes, la France se désintéressait du problème. Si les montagnards du Laos souhaitaient s'entendre avec les Birmans pour intoxiquer les Chinois et saper ainsi leur maudite révolution, rien à redire.

*　　*　　*

Launay ignorait qu'il était devenu le point de mire du petit village de pêcheurs. L'épisode s'éloignait de son esprit à mesure que sa pirogue mettait de plus en plus de distance entre lui et le premier sorcier de l'aventure.

«Au diable les superstitions», se dit-il en laissant ses doigts reconnaître le crucifix à sa ceinture. Il y touchait comme on tâte un talisman. La comparaison le mit mal à l'aise. Le Christ viendrait bien à bout des sirènes !

«Maudites niaiseries», pensa-t-il encore une fois, comme pour se réconforter. Tant que le jour triomphait des fantômes, il pouvait se permettre de faire le brave. Mais garderait-il sa belle désinvolture quand la nuit tomberait sur le Mékong?

*　*　*

La journée fut éreintante. On croirait que passer des heures à l'arrière d'une pirogue n'a rien d'épuisant. Erreur. La main se crispe sur la poignée du moteur. La conduite de l'embarcation nécessite une vigilance de tous les instants. On se retrouve épuisé physiquement et moralement car on ne peut même plus rêver en paix. Et ce corps qui ne parvient pas à éviter les courbatures! Alors le temps s'étire, il avance comme un escargot sur une lame de rasoir. Comme le temps fait mal!

Le romantisme de l'aventure cédait le pas à la triviale réalité. Le prêtre jeta un coup d'œil à sa montre. Encore deux heures avant de faire halte à Ban Lai. Il pourrait enfin manger, soulager sa vessie. Sa figure s'illumina d'un sourire. Même prêtre, même serviteur de Dieu, aucun humain n'échappait aux contraintes de son animalité.

Qu'arrive-t-il aux animaux qui meurent? pensa-t-il en regardant les montagnes de verdure découper un décor de rêve sur la droite du fleuve. Rien? Alors pourquoi notre Martin Launay jouirait-il d'un traitement spécial? Il est si bon notre Launay, si terriblement bon, que le Christ en serait, paraît-il, mort d'amour pour lui. Édifiant. En valait-il seulement la peine notre missionnaire de *bacci*? Le prêtre connaissait ces doutes. Il se surprenait de les entretenir pour tuer le temps.

Deux heures passèrent ainsi au gré des angoisses de sa philosophie aux prétentions existentialistes. Il se rappela les paroles du bonze : « Ces *phis* cruels, perfides et tentateurs les attendront à chaque détour de la route. Ils guetteront le moment d'inattention de chacune des âmes de notre ami. » Launay venait de rencontrer son premier *phi* : le doute.

Perfide, cruel et tentateur, le doute était sur sa route, guettant chaque mouvement de son âme.

*   *   *

Launay et les trois Laotiens arrivèrent enfin à l'étape. Le jour déclinait alors que le soleil allongeait les ombres des quelques maisons sur pilotis. Comme le voulait la coutume, ils furent accueillis par le chef du village. Ce dernier se fit un point d'honneur de s'occuper des visiteurs.

— Vous venez bien sûr manger chez moi, fit le chef.

Son visage reflétait la sérénité du Bouddha. Il était sur le point d'inviter les visiteurs d'un geste de la main lorsqu'il vit le poignet de Launay. Son expression changea brusquement, la sérénité fit place à une surprise angoissée.

— Vous avez perdu vos rubans !

— Perdus ? Je les ai plutôt jetés au fleuve, répondit le missionnaire bien décidé à ne plus verser dans le paganisme.

— Je vais faire venir le sorcier.

—Ah non! Je suis chrétien, je ne crois pas aux *phis*. Comment saviez-vous que je portais des rubans?

—Les nouvelles voyagent avec le Mékong.

—Même à contre-courant?

—Si Nguoc veut que je sache, je sais! lança fièrement le chef de village de Ban Lai.

—Et j'imagine que, comme votre collègue de l'autre bled, vous connaissez vous aussi des *phi-phops*.

—Rassurez-vous, je ne connais aucun *phi-phop*.

Launay brûlait de lui demander ce qu'était cette variété de mauvais esprits, mais il préféra laisser le chef de village sous l'impression qu'il connaissait bien les croyances locales.

Avec amabilité, ce dernier annonça que le prêtre et les trois voyageurs laotiens resteraient chez lui pour la nuit.

—Et les pirogues? fit Launay agréablement surpris par les attentions de son hôte.

—Installez-les à sec sous la maison. Nous les attacherons aux pilotis.

—Vous ne craignez pas qu'un *phi* vienne les dérober?

—Personne n'oserait voler l'étranger qui passe la nuit dans ma demeure. De toute façon, père Launay, les *phis* n'ont besoin ni de pirogue ni de moteur.

—Vous connaissez mon nom!

—Quand Nguoc veut que je sache, je sais!

« Tu parles qu'elle veut que ce rigolo le sache! se dit Launay. À l'heure qu'il est, elle doit se saouler au *laoun* et danser le *Vo lam* au fond de l'eau. Je serais curieux de savoir comment cette sirène se débrouille pour que chacun connaisse mon nom. »

Il n'osa pas s'adresser ainsi à son hôte qui l'invitait maintenant à entrer chez lui. Launay et les trois voyageurs gravirent l'échelle menant à la véranda attenante à la grande pièce de la maison.

Formée d'une immense pièce divisée par des lattes de bambou, la maison laotienne des rives du Mékong est toujours bâtie sur pilotis. La grande salle sert à la fois de cuisine, de chambre à coucher et de salon.

Les narines du missionnaire humèrent l'odeur de riz et de *padek*, cet étrange plat composé de son et de poisson fermenté. Comme le veut la coutume, le prêtre puisa une poignée de riz chaud qu'il se mit à pétrir de ses mains. Le riz gluant, très gluant, du Laos se mange en boulettes qu'on façonne dans la paume de la main.

Le chef du village se nommait Khuynk. C'était un homme d'une quarantaine d'années. Sa femme, d'une grande beauté, s'activait au *padek* qu'elle servait dans des feuilles de bananier.

Khuynk s'adressa à Launay en un français fort acceptable :

— Demain, nous ferons le plein de carburant. Je dois malheureusement vous faire payer le prix de l'essence et de l'huile.

Il était presque gêné d'aborder la question. S'il avait été plus riche, Khuynk lui aurait sûrement offert le carburant.

En regardant l'intérieur de la modeste demeure, où vivaient Khuynk et sa femme (leurs trois enfants étaient déjà mariés), le missionnaire se dit que ce chef de village possédait de grandes richesses. Dès qu'il avait vu le visage de son épouse, Launay s'était rendu compte que cet homme devait être comblé malgré sa pauvreté relative.

Suivant son intuition, Launay prit la résolution de questionner son hôte :

— Qui est Nguoc ? demanda-t-il.

— Une sirène du Mékong.

— Pourquoi me chercherait-elle ?

— C'est une voleuse d'âmes. Elle te veut, Martin Launay.

— Mais ce ne sont que des histoires !

Khuynk fit signe à sa femme d'approcher. Elle était belle comme la promesse d'un monde meilleur.

— Regarde-la, Martin. Si cette femme était Nguoc, penses-tu qu'elle pourrait voler mon âme ?

— Ce n'est pas la même chose, fit Launay ému par cette approche romantique.

— Ou voler la tienne ? insista doucement le chef de village qui savait que ce prêtre chrétien se troublait à la vue des femmes.

CHAPITRE SIX
Les phi-phops

Ouest du Mékong. Laos, 1948.

Tandis qu'à Ban Lai, Launay s'abandonnait au sommeil, le sorcier du village de Ban Kay réunissait les Hmongs dans une cabane de pêcheurs. Éclairés par une lanterne de papier de riz qui rendait leur nid de comploteurs presque attirant, les Hmongs fumaient un tabac noir, très fort, qu'ils aspiraient dans de longues pipes de bambou. Chacun affichait un sourire vaguement ironique.

— Ce prêtre étranger n'est pas comme les autres, débuta le sorcier. Il connaît la médecine et la mécanique.

— S'y connaît-il vraiment ? demanda un des conspirateurs.

— Il suffirait de quelques guérisons aux antibiotiques pour que son influence grimpe en flèche. Ils l'envoient dans le Nord, dans le fief de Li-Tchen.

— Donc sur notre terrain, fit un Hmong. Malheur à lui s'il nuit au trafic de l'opium.

— Le maître ne veut pas de martyrs, avertit le sorcier. Li-Tchen nous demande d'observer l'étranger sans attenter à sa personne.

— Il nous faut trouver la faille de son âme, fit valoir un des conspirateurs en estimant que chaque homme avait ses points faibles.

— Il a fait bonne impression au *bacci*, et déjà il baragouine le laotien.

—Mais il s'emporte comme tous les Blancs, non?

—*Bo phen nam!*

—Et si on lui organisait une séance de *Lay cha hut phien*?

—Tu as de la merde dans les oreilles? Le maître nous a ordonné de ne rien tenter contre ce prêtre. Il est beaucoup trop tôt pour le droguer à l'opium. L'idéal serait qu'il vienne au sommeil empoisonné de sa propre initiative.

—Il y viendra.

—Pourquoi se fait-il accompagner de ces trois petits merdeux?

—Les jeunes ont de la famille à Houei Tha. Ils n'iront pas plus loin.

—Et si ce prêtre repartait de Houei Tha accompagné de soldats?

—Nous pourrions prétendre que les puissances coloniales envoient des missionnaires armés. Je ne crois pas qu'il commette cette erreur.

—Le bonze chrétien n'ira pas seul à Muong Sé. Il faut savoir avec qui il voyagera. Il nous faut surtout connaître la faille de son cœur avant qu'il n'arrive chez Li-Tchen.

—Il croit aux *phis*.

—Non. Il n'a même pas peur des *phi-phops*.

—Peut-être ignore-t-il ce qu'ils sont.

—Il aime le *laoun* et les femmes, intervint un autre Hmong. J'étais à côté de lui au *bacci* de Luang Prabang. Il veut se rouler dans les draps d'une *phou-sao*.

—Si cette faiblesse habite son cœur, il ne tiendra pas deux jours à Muong Sé! Que

Bouddha prenne donc pitié de ce pauvre fornicateur!

Tous rirent de cet emprunt au christianisme
selon lequel la divinité prenait pitié du pécheur.
En bons bouddhistes, ils ne voulaient pas tuer
ou martyriser Launay. Ils comptaient plutôt le
discréditer afin de saper son influence.

— Sommes-nous bien certains de sa faille?

— Pas encore. Suivons-le à la trace. Demain
nous irons à Ban Lai interroger ce crétin de
Khuynk et ses fermiers de village.

Un Hmong cracha par terre en signe de
mépris:

— Un village d'éleveurs de cochons! Ces
immondes paysans sont bien assez sots pour
dorloter le bonze chrétien.

— Aucune dignité, conclut le sorcier.

*   *   *

Le lendemain, Launay se leva courbaturé.
Sa nuit de sommeil l'avait reposé sans toutefois effacer les élancements de ses courbatures.

Il se sentait un peu gêné d'avoir rêvé de la
femme de Khuynk. Son rêve avait été si peu
chrétien qu'il en éprouvait une sourde culpabilité. Cette femme caressante au sourire
énigmatique lui avait rendu visite comme un
ange descendu du ciel par faveur spéciale.
Mais est-on responsable de ses rêves?

Launay sourit. Il repensait à un cours de
mauvaise philosophie qu'on lui avait jadis
prodigué à Rimouski: «Responsable signifie
répondre de, pontifiait le professeur. Qui

m'interroge?» Launay avait lancé: «Personne!» On lui avait refilé une mauvaise note.

Qui donc l'interrogeait sur ses rêves? À moins de croire aux *phis* qui se mêleraient des faiblesses de chacune de vos trente-deux âmes, personne n'oserait affirmer qu'on doive rendre des comptes sur son propre inconscient.

Launay était sur le point de regagner l'échelle de la véranda quand il remarqua la présence d'un ruban à son poignet. Quelqu'un avait placé un ruban de *bacci* durant son sommeil. Maudites superstitions! On aurait facilement pu le tuer, lui trancher la gorge en moins de deux. Les Laotiens ont beau être doux, il suffisait d'un seul coupe-gorge pour mettre un terme à l'aventure du missionnaire.

Qui lui avait mis cette saloperie de talisman? Son regard croisa celui de la femme de Khuynk, il sut alors que l'ange de son rêve avait voulu le protéger contre les *phis*. Son ressentiment tomba à plat. Il garderait le ruban.

Launay descendit l'échelle un peu branlante comme presque toutes celles des maisons du Laos. Il vit Khuynk et quelques villageois s'activer près des pirogues.

— J'ai fait le plein des deux réservoirs et de quatre jerricans, annonça le chef de village. Vous aurez assez d'essence pour vous rendre à Houei Tha!

Launay sortit des billets tout froissés de sa poche et régla sans discuter le prix du carburant. Il était pressé de quitter ce village, car jusqu'à maintenant, il n'avait rencontré aucun chrétien avec qui partager sa foi. Son véritable travail de missionnaire débuterait à Houei Tha.

On héla les pirogues jusqu'au bord du fleuve. On aurait dit que le village entier venait souhaiter bonne route au missionnaire. Quand Launay et les siens quittèrent le hameau dans un vrombissement de moteur, le missionnaire semblait partir à la découverte du monde.

Un peu à regret, Khuynk regagna sa demeure. Il laissa libre cours à son ressentiment :

— Il ne croit pas aux *phis*, il méprise nos coutumes et les rubans de *bacci*. Pourquoi fait-il le matamore ?

— Il finira bien par croire à la voleuse d'âmes, répondit sa femme.

— S'il va chez Li-Tchen, il risque de trouver les Hmongs moins accommodants que nous !

— Ne risquons-nous pas, nous aussi, d'avoir des ennuis ?

— Des ennuis ? Non. Je m'attends pourtant à recevoir la visite de ces maudits vendeurs d'opium de Ban Kay dès aujourd'hui ! Ils n'ont pas cessé de surveiller Launay depuis qu'il a mis les pieds à Luang Prabang. Même au *bacci* organisé par le bonze, ils avaient leur espion.

— L'étranger court-il un danger ?

— Seulement s'il nuit gravement au trafic des Hmongs.

*   *   *

Le Mékong ouvrait une brèche dans un monde de verdure. Le prêtre s'émerveillait des excès de la nature. Chatoyante, omniprésente, offerte dans d'innombrables nuances de vert, la végétation s'accrochait aux collines, pour ensuite lécher les abords du fleuve.

Dans ce monde bouddhiste, Launay, prêtre chrétien, retrouvait partout le vert, couleur d'Allah. Il aimait les forts contrastes du feuillage scintillant en contre-jour. Opposées aux rayons du soleil, les feuilles s'illuminaient alors d'elles-mêmes, comme si une lampe intérieure les habitait. L'eau et la verdure, le rêve du monde musulman, étaient jetées dans une prodigalité relevant du gaspillage. Dieu devait s'amuser à priver les uns pour trop en donner aux autres.

Des heures passèrent ainsi à contempler les bords du Mékong. Launay, qui avait toujours cru que la vie était précieuse, découvrait le vrai visage de la nature : une gaspilleuse impénitente. La nature ? Des milliers d'œufs pour quelques poissons, des graines par dizaines de milliers pour un seul arbre. Quand le Mékong débordait au point de menacer les maisons sur pilotis, le Sahara avait toujours aussi soif. Gaspilleuse et injuste, la nature dévoilait ses charmes à ces païens de Laotiens qui la remerciaient en idolâtrant Bouddha.

*   *   *

Launay et les trois jeunes Laotiens mirent quatre jours pour gagner Houei Tha, couchant parfois chez l'habitant, parfois sous la tente. Le prêtre ne pouvait se défaire de l'impression de se sentir épié. Bien qu'il ne s'accrochât pas à ses rubans comme on le lui avait prédit, il éprouvait une certaine crainte chaque nuit. Quand il voyait des yeux surgir près du campement improvisé, il avait beau se dire que les yeux des animaux brillent dans le noir, il pensait malgré lui aux *phis*.

N'y tenant plus, il demanda un soir à Xuyen, le Laotien voyageant dans la même pirogue que lui, ce qu'était un *phi-phop*.

Allongé sous la tente, Xuyen regardait les flammes du feu de camp monter vers la lune.

— Les yeux des animaux brillent dans le noir, mon père, mais tu me demandes de te parler des *phi-phops*. Eux, fantômes jeteurs de sorts !

— En as-tu déjà rencontrés ?

— Moi, non. Mais mon cousin a dû consulter un sorcier à cause d'un mauvais sort. Le *phi-phop* est un… Xuyen cherchait le mot juste. Il voulait dire un « réducteur ». Sa connaissance limitée du français lui fit dire un peu maladroitement :

— Lui, fantôme capable de dire au buffle d'entrer dans un grain de riz.

— Un buffle ! Pourquoi pas un éléphant ? railla Launay en pouffant de rire.

— Pas rire, père. Tu manges le riz, alors le buffle grossit en toi.

— C'est la mort assurée !

— Non ! La douleur te fera d'abord demander la mort cent fois. Le buffle s'accroche à ton ventre et il grossit lentement, très lentement. Le *phi-phop* se moque de ta mort, il veut ta souffrance.

— Si la chose se présentait, j'imagine qu'il me faudrait prier le Bouddha.

— Il faudrait plutôt voir un sorcier.

— Et tu en connais, toi, des sorciers ?

— Oui, répondit Xuyen en un sourire énigmatique.

Launay n'en retira plus rien. Son esprit mesurait ce qui séparait le christianisme de ce paganisme à la sauce bouddhiste. Comment obtenir des conversions ? Par l'exemple ! Avait-il fait si belle figure depuis son arrivée au Laos ?

Le prêtre souhaitait rencontrer au plus tôt les chrétiens de Houei Tha. Non les Européens, les Birmans ou les Annamites, mais les quelques véritables Laotiens convertis à la Bonne Nouvelle. En trouverait-il ? Si oui, croyaient-ils eux aussi aux fantômes jeteurs de sorts ?

Launay gagna Houei Tha le 3 juin 1948. Cette date devait rester gravée dans sa mémoire car, pour la première fois de sa vie, il se sentit véritablement missionnaire.

Enfin, on compterait sur lui. Ici, des âmes éclairées par les lumières de l'Évangile voudraient entendre son message d'espoir. Le prêtre venu du froid ferait de sa vie un tel témoignage d'amour qu'on voudrait le suivre dans le sentier qui mène à Jésus, au paradis, au bonheur, à la fin du cycle de ces maudites réincarnations. Le missionnaire oblat y croyait encore.

CHAPITRE SEPT
Les premiers chrétiens

Houei Tha. Laos, 1948.

Une partie impressionnante de la population de Houei Tha s'était rassemblée pour souhaiter la bienvenue à l'étranger. Un bonze, reconnaissable de loin à sa tunique orange, tenait ses mains en prière. Launay remarqua qu'un bâtonnet d'encens brûlait entre les mains du moine.

Au milieu des nombreuses pagodes de la petite cité, le missionnaire vit un clocher d'église surmonté d'une croix. « Enfin, des chrétiens! » songea-t-il avec émotion. Un peu plus à gauche, il aperçut un drapeau tricolore flotter fièrement au-dessus d'un bâtiment officiel. Ce bout d'étoffe rappelait qu'on était ici en Indochine française et que la grande aventure à laquelle on avait tant rêvé se transformait en visite obligatoire du bâtiment officiel de la République.

Les pirogues accostèrent au quai de Houei Tha. Martin enjamba adroitement le débarcadère et avança vers le sable du rivage. Dès qu'il mit pied au village, des jeunes filles vinrent à sa rencontre. Elles étaient belles, comme presque toutes les Laotiennes. L'une d'entre elles lui souhaita la bienvenue :

— Père Launay, nous vous conduisons chez le *pho ban*, le chef du village. Vous irez ensuite voir le commandant Desmoulins.

Launay saisit en un clin d'œil la portée de ce qu'on venait de lui suggérer de façon fort subtile. Le chef de village, bien que moins important que le représentant de la République française, représentait aux yeux des Laotiens le véritable pouvoir. Il ne s'agissait pas de quémander l'approbation de ce *pho ban,* mais de montrer aux Laotiens que le missionnaire respectait l'autorité locale avant de rendre visite au commandant Desmoulins. Personne ne serait dupe, chacun sauverait toutefois la face.

On lui faisait également comprendre qu'il était connu comme Barabas. Au moindre écart, tous les villages du Mékong colporteraient avec joie les dernières médisances. En d'autres termes, père Launay, derrière nos sourires de façade, sachez que nous en savons déjà long à votre sujet.

— Je voudrais d'abord aller à l'église.

— Plus tard, l'église ! répondit la jeune fille dont les yeux exprimaient une fermeté surprenante. D'abord le *pho ban*, puis le commandant Desmoulins qui contrôlera vos papiers.

— Allons donc voir ce *pho ban,* concéda le prêtre en jouant à la bonne humeur.

« Comment diable savent-ils toujours tout ! se demanda-t-il. Parce que nous vous épions, se répondit-il à lui-même. Mieux encore, nous rapportons vos allées et venues aux Hmongs, aux *phis,* aux sorciers et aux sirènes qui s'amusent à colporter nos ragots. »

*   *   *

Le *pho ban* habitait lui aussi une demeure sur pilotis. Le chef de village vivait de façon modeste, laissant sa vie s'écouler au doux rythme de l'Orient. Dans la cour délimitée par une palissade, des poules et des chèvres circulaient librement.

Le *pho ban* accueillit Launay dans ce décor de ménagerie. Il y alla de façon si directe que Launay y vit un genre d'outrage :

— Si vous allez chez les Hmongs du Nord sauvage, lança-t-il sans ménagement, fermez les yeux sur leurs trafics.

— Vous me menacez ?

— Je vous mets en garde. Ici, le drapeau tricolore fait encore semblant de vous protéger. Dans le Nord, il n'y aura plus de Français, plus de soldats. Il n'y aura que des problèmes, des Chinois, des trafiquants, des révolutionnaires et ce cochon de Li-Tchen qui mange à tous les râteliers.

La qualité du français du chef de village ébranla Launay.

— Restez donc dans notre village, reprit le *pho ban*. Nous avons quelques chrétiens qui vous attendent.

— Vous-même, seriez-vous…

Le prêtre ne termina pas sa phrase. Son hôte lui coupa la parole d'un geste de la main.

— Je suis bouddhiste, du moins je tente de suivre la voie menant à l'Éveil.

— Les Hmongs aussi.

— En principe.

— Vous les trouvez si redoutables ?

— Tant que vous prétendez ignorer leurs trafics, les Hmongs restent des gens charmants. Ils aiment la musique, l'amour et la poésie. Mais nuisez à leurs combines et vous verrez ce qu'ils font des enseignements du Bouddha! Fermez les yeux, père oblat. Ne vous mêlez pas de l'opium. Maintenant, allez faire la conversation à Desmoulins.

Le missionnaire quitta le chef du village en éprouvant des sentiments contradictoires. L'homme lui avait paru sympathique, ses propos avaient néanmoins semé l'inquiétude dans son esprit. Devait-il croire aveuglément les Laotiens? Il avait hâte d'en parler à un Européen.

Launay se dirigea vers le bâtiment orné du drapeau tricolore.

* * *

— Missionnaire!

Il y avait dans la voix du militaire une intonation de dérision. Le commandant Fernand Desmoulins apposa les tampons sur le passeport du prêtre comme s'il accordait un séjour en institution psychiatrique à un demeuré.

La jeune trentaine, la carrure athlétique, un sourire qui plaisait aux femmes, Fernand Desmoulins regardait avec condescendance les papiers du père Launay. Cet agnostique hautain, probablement athée, se demandait comment des gens intelligents pouvaient encore croire aux dogmes du catholicisme.

— Avec la validation que je vous remettrai demain, fit-il en s'efforçant de demeurer neutre, vous circulerez partout où vous voudrez d'ici à Muong Sé. Ne commettez cependant pas l'erreur de franchir la frontière chinoise. Nos cachets ne valent que sur notre territoire !

— J'ai entendu dire qu'à Muong Sé, Li-Tchen mangeait à tous les râteliers.

— Li-Tchen respectera le sceau de la République française. Mais n'allez pas plus au nord que Muong Sé. De la mission chrétienne à la frontière chinoise, vous serez sur les terres personnelles de Li-Tchen. N'y allez jamais sans son autorisation explicite. Il aurait légalement le droit de vous arrêter, puis de vous enfermer.

— J'imagine qu'il trempe avec les Hmongs dans le trafic de l'opium.

— Je vous déconseille de soulever la question devant lui !

— Vous savez que ce petit potentat se vautre dans le trafic de l'opium et vous n'entreprenez rien !

Desmoulins partit à rire. La candeur de Launay l'amusait.

— Il y a longtemps que la France a compris la nécessité de faire un compromis avec les sectes.

— Les sectes ?

— Vous trouverez toujours un fond de croyance animiste chez les magouilleurs du Laos. Par extension, nous appelons « sectes » les associations de trafiquants et de combinards.

— La France se prête à cette saloperie ! fit Launay ahuri.

— Elle n'a pas le choix. Il y a seulement deux ans, nous avons dû tirer du canon contre des nationalistes du sud du Laos. Les chefs du nord nous ont appuyés à la condition de les laisser faire un peu de trafic. Je vous parle à titre privé, Launay. Officiellement, la France ignore tout du trafic et ne s'acoquine avec personne.

— Elle est belle, votre France.

— Allons, ne soyons pas ennemis. Nous n'allons pas nous larder de traits devant tous ces bouddhistes.

Desmoulins s'exprimait avec une désinvolture amicale. Il avait le sens inné de l'urbanité. Toute son attitude inspirait confiance. Launay se demandait pourquoi on lui avait tant dépeint cet homme comme un féroce bouffeur de curé.

— Je vous croyais anticlérical, dit-il au représentant de la République.

— Je le suis... de façon civilisée. Vous pouvez maintenant aller rencontrer vos quelques chrétiens à l'église. Repassez me voir demain, j'aurai votre sauf-conduit pour le Nord.

Desmoulins mit un terme à l'entretien en tendant la main au prêtre. Il la serra avec chaleur, comme s'il éprouvait de la sympathie pour le missionnaire. Launay, qui ne savait plus que penser de ce militaire, s'efforça de demeurer en bons termes avec lui. Après la poignée de main, il quitta le bâtiment et se rendit à l'église de Houei Tha.

*   *   *

L'église chrétienne portait encore les traces de la profanation par les soldats japonais. En mars 1945, quelques mois avant la déroute complète de leur empire, les Japonais avaient envahi l'Indochine française. Ils s'en étaient durement pris aux Orientaux chrétiens.

— Des lèche-bottes, les chiens des Blancs, raillaient les Japonais en un mélange d'humour et de rage mal contenue.

La persécution avait traumatisé la communauté chrétienne qui ne comptait que peu de véritables Laotiens. Les catholiques de l'endroit étaient surtout des Annamites. Après le départ des Japonais, les potentats et roitelets des provinces expulsèrent les catholiques tonkinois ou annamites vers le pays qui devait devenir le Viêtnam.

Allant à l'encontre de leur douceur légendaire, les Laotiens encouragèrent l'expulsion, car ils voyaient d'un très mauvais œil les Vietnamiens, qu'ils soient chrétiens, animistes ou bouddhistes. « Ils font de leur vie un cauchemar permanent, ils ignorent la douceur de nos coutumes et tentent de nous imposer leurs angoisses. »

Le jugement sans appel surprenait chez un peuple pacifique qui tolérait la présence de plus de soixante ethnies sur son territoire. Mêlé de peur, le racisme du Laotien pouvait se résumer en une phrase : « Malgré leurs manières exécrables, les Hmongs ne tentent pas de nous dominer ; les Viets, oui. »

Quand les Français revinrent en Indochine en 1946, les déplacements de population étaient déjà chose faite. La France, elle-même divisée entre catholiques et laïcs, ne savait plus quelle attitude adopter face aux missionnaires, surtout lorsqu'il s'agissait de prêtres belges, canadiens ou suisses. Tolérés plus que bienvenus, des prêtres comme Martin Launay se heurtaient parfois au peu d'enthousiasme des autorités qui ne voyaient pas en quoi la conversion du Laos servirait leurs visées.

Launay entra dans l'église. C'était une petite chapelle de campagne, une construction de bois, attirante, rassurante comme une présence de conscience divine. Un îlot de lumière dans l'océan des ténèbres.

Son visage s'illumina quand il visita la sacristie. Demain il dirait la messe. Sa première messe de missionnaire. Il se sentait prêt à porter une soutane rouge, non pour jouer au cardinal, mais pour faire savoir aux païens qu'une robe rouge sang signifiait qu'il était prêt à aller jusqu'au martyre pour témoigner de sa foi.

Le prêtre comprenait trop bien que la menace japonaise était passée. Personne à Houei Tha n'envisageait de lui faire subir de mauvais traitements. « Pire que la persécution, l'indifférence », se dit Launay qui voyait la tolérance, le pluralisme et l'indifférence devenir bientôt, dans cette seconde partie du vingtième siècle, le véritable danger pour la foi. L'Église saurait faire face aux persécutions, elle demeurerait désarmée face à l'indifférence. Il le savait. Et il savait qu'il était un des rares à vraiment le comprendre.

Les pères Oblats ne vivaient plus à l'époque de leur fondateur Eugène de Mazenod qui, en 1813, avait défié Napoléon.

Launay regardait la chapelle en laissant ses pensées voguer vers les champs de batailles d'Europe. Bonaparte, ébranlé mais encore puissant, avait interdit toute association de jeunes. Il souhaitait que la jeunesse se donne à lui, et à lui seul. Il avait besoin de chair à canon, d'enthousiasme, de bravoure, de folie meurtrière, de patriotisme et de bonne conscience. Logiquement, il n'aurait pu en obtenir autant. Il obtint encore plus : l'amour aveugle, le dévouement, l'abnégation, le fanatisme, le désir de mourir pour l'Empereur.

Face à cet engrenage de mort, Eugène de Mazenod avait osé instaurer un ordre religieux demandant lui aussi un don complet de la personne. Il disait : « La charité, la charité et encore la charité ! » La maxime attirait des jeunes qui depuis la Révolution n'avaient jamais eu d'enseignement religieux.

Mazenod risquait l'exécution. Et alors ? Son courage en imposa tant qu'il l'évita. Pacifiste en pleine guerre, il proposait la charité contre les canons, l'amour contre les campagnes militaires qui, de victoire en victoire, conduisaient la France au désastre.

Napoléon chuta, Eugène de Mazenod vécut pour se donner aux pauvres. Comme Launay aurait aimé vivre à cette époque ! Il se serait fait guillotiner en témoignage de sa foi en l'amour de Dieu.

Les pensées du prêtre revinrent enfin au Laos de 1948. Ici, on ne lui en demanderait pas tant. Il s'empressa de faire sonner les cloches afin que tous sachent qu'une croix était plantée au pays de Bouddha. Que les chrétiens avancent, il se sentait prêt à célébrer la messe. Que les athées viennent, il réussirait bien à les faire revenir dans le chemin de Jésus. Que les bouddhistes s'amènent, il leur montrerait...

Qu'avait-il donc de si extraordinaire à leur montrer ?

$$* \quad * \quad *$$

Launay passa la nuit dans le presbytère attenant à la sacristie. Il se rendait compte de la futilité de son geste. Venir de si loin pour sonner les cloches. Quelle puérilité! Mais en même temps, il espérait que ce carillon convainque demain les chrétiens de Houei Tha de se rendre à l'église.

Quand le soleil se leva sur la petite cité, le missionnaire entendit des coups frappés à la porte du presbytère. Il s'habilla en vitesse, en proie à une vive émotion. Il souhaitait de toute son âme qu'enfin un chrétien de l'Extrême-Orient sollicite son aide.

Un jeune homme se tenait devant lui avec déférence. Il devait avoir vingt-quatre ou vingt-cinq ans.

— Je suis catholique, lança le jeune homme en guise d'introduction. J'ai déjà servi la messe avec votre prédécesseur, le père Maizeret avant qu'il ne parte pour Muong Sé.

— Comment t'appelles-tu?

— Keng Chane.

— Laotien?

— Birman. Ma famille habite le Laos depuis longtemps.

— Où as-tu appris le français?

— Chez les Oblats de Luang Prabang.

Launay se fit résumer la situation par ce jeune représentant de la communauté chrétienne de Houei Tha.

— Nous n'avons pas de prêtre depuis deux ans. Les jeunes catholiques se marient selon le rite bouddhiste ou vivent dans le péché. Il n'y a plus de baptêmes, plus de confessions, plus de messes. Pis encore, nous sommes mal vus, ici.

— Pourquoi donc ?

— Regarde mes traits, mon père. Je ressemble à un Laotien, moi ? Les vrais *laos* nous regardent avec mépris. Ici, chrétien signifie étranger : Birman, Annamite, Siamois. Et encore, nous ne sommes que la petite minorité parmi ces minorités qui, toutes, sont demeurées bouddhistes !

Keng Chane compara la tâche du père à un exercice de pêche à la ligne. Au début, des poissons viendront voir l'appât par curiosité, quelques-uns mordront, d'autres lutteront contre le pêcheur qui les aura ferrés. Launay, qui n'appréciait guère la comparaison, se rendait compte qu'il lui fallait d'abord œuvrer parmi les convertis.

Beaucoup plus que le travail du missionnaire, l'exemple de ces quelques chrétiens vivant parmi la communauté bouddhiste s'avérerait déterminant pour la conversion éventuelle du pays. Si les chrétiens n'étaient en rien meilleurs que les autres, toute l'aventure ne serait qu'un pétard mouillé. C'est pourquoi il voulait d'abord connaître la sincérité de la foi de Keng Chane.

— Y a-t-il beaucoup de *phis* à Houei Tha ?

— Les bouddhistes le croient.

— Et les chrétiens ?

— Ils n'y croient pas le jour, mais les craignent la nuit.

— Que pensent les chrétiens des *phi-phops* ?

— Ils demandent à Dieu de ne pas en rencontrer.

Ces réponses laissèrent le prêtre songeur. Mais à quoi bon brusquer ce premier chrétien ? Il lui annonça plutôt qu'il dirait la messe dès aujourd'hui si Keng Chane consentait à faire le servant.

— J'aimerais que vous m'entendiez d'abord en confession.

Launay accepta avec empressement. Le jeune Birman escamota les paroles de la prière d'introduction, préférant cracher tout de suite le morceau à la face du prêtre.

— Je vis dans le péché, lança Keng Chane qui semblait presque s'en vanter. Il ne me sera pas possible de communier. Mon épouse et moi ne sommes pas mariés religieusement.

— Vous n'aviez pas de prêtre.

— Ça reste un péché, non ?

— En droit canon, oui. Je crois pourtant qu'il s'agit ici d'un cas d'exception. Nous allons vite remédier à cette situation.

— Ce ne sera pas si facile, père. Mon épouse ne croit pas au dieu chrétien.

— Pourquoi avoir épousé une païenne ?

— Tout ce pays est bouddhiste, père.

— N'y avait-il pas des chrétiennes à Houei Tha ?

— Si peu ! Et pour ce qu'elles valaient !

La réplique scandalisa Launay. Le prêtre ne voulait toutefois pas froisser le jeune homme.

— J'aime une bouddhiste, reprit ce dernier. Péché ou non, je suis marié sans l'être. M'acceptez-vous comme servant de messe ?

Launay perçut une pointe de défi. Il y avait dans l'attitude de ce prétendu chrétien un soupçon de dérision, voire d'insolence.

—Je t'accepte. Dis-moi, Keng Chane, ta femme est-elle Birmane aussi?

—C'est une Hmong.

—Tu as épousé une Hmong?

—Non, j'ai épousé une femme. Belle, aimante, douce et plus délurée que les catéchumènes de ce coin de pays!

—Qui te dit qu'elle ne vient pas d'une famille de trafiquants?

—*Bo phen nam.* De toute façon, je suis Birman par mon père et Hmong par ma mère. Je serais mal placé pour lever le nez sur elle.

—Tes parents sont-ils chrétiens?

—Laissez-moi le privilège de ne pas répondre.

Launay ne pouvait plus questionner le jeune homme qui se refermait désormais comme une huître. En Occident, une telle conduite en confession conduirait probablement à un refus d'absolution. Ici, commencer son travail apostolique en semonçant ses rares brebis représenterait le plus mauvais départ qu'on puisse imaginer. Mais pourquoi diable (Launay se surprit de mêler le Malin à son raisonnement) ce servant de messe avait-il demandé la confession?

«Il existe des mauvais pénitents, lui avait-on déjà enseigné au séminaire. Des gens qui se moquent de la confession en la tournant en dérision. Il y a ceux qui s'accusent de péchés imaginaires pour se donner de l'importance, ceux qui provoquent le prêtre en exagérant leurs fautes d'impureté, et enfin, celles qui fréquentent les confessionnaux pour vous inciter aux mauvaises pensées.»

Le missionnaire jugea préférable de passer l'éponge sur les manquements de son pénitent. L'ouverture d'esprit s'imposait dans les circonstances. Qui sait, avec un peu de chance il convaincrait peut-être le jeune couple de « régulariser » sa situation tout en ménageant les croyances de la païenne. En même temps, il fulminait intérieurement. Si les rares chrétiens ne se mariaient pas entre eux, les unions mixtes en pays si peu catholique sonneraient le glas de la communauté croyante. Il lui fallait aussi éclaircir le sens de cette incroyable injure, le fameux « pour ce qu'elles valaient » qui, de minute en minute, résonnait dans sa tête.

Tant pis si le servant ne communiait pas. Dans la mesure où la messe s'adressait à au moins une personne autre que le prêtre, elle serait valable aux yeux de l'Église.

La première messe de Martin Launay attira douze personnes, ce qui augurait bien puisqu'on était un mercredi. C'était la première fois en deux ans qu'on célébrait la messe à Houei Tha. Il en fut ému. Aucune église comble n'aurait pu le réjouir autant que cette petite cérémonie, tout en simplicité et en recueillement.

Quelle ne fut pas sa surprise de reconnaître Xuyen parmi les assistants. Le jeune Laotien qui l'avait accompagné depuis Luang Prabang suivait attentivement la cérémonie. Son ministère donnerait-il déjà des fruits ?

D'un autre côté, Xuyen ne devait strictement rien comprendre au latin. Il était peut-être ici par curiosité, un genre d'observateur non impliqué. « Au début, des poissons viendront voir l'appât par curiosité, quelques-uns mordront, d'autres lutteront contre le pêcheur qui les aura ferrés. »

Launay ne pouvait s'empêcher d'éprouver de l'antipathie pour Keng Chane, qui, par ses jugements trop lucides, l'énervait au plus haut point. Son servant de messe ânonnait pourtant les répons sans se tromper. Il ne semblait pas tellement croire en ce qu'il répétait en automate.

La belle émotion du début venait de quitter Martin. Il avait envie de rabrouer Keng Chane en partie à cause de ses mauvaises manières, en partie parce que ce jeune Birman était lui-même à demi Hmong. À son désarroi, le père chrétien se découvrait un penchant raciste. Il ne s'en était pas encore aperçu.

Après la messe, Launay consacra sa journée à la visite des chrétiens de Houei Tha. Ils étaient à peine une trentaine. À Luang Prabang on lui avait dit qu'il en trouverait au moins soixante.

Launay se posait des questions sur la validité de la foi des catholiques, ou du moins de celle des ouailles de son prédécesseur, le père Maizeret. Il se rendait compte que certains néophytes avaient sûrement vu dans le christianisme un moyen de s'élever dans l'échelle sociale.

En se rapprochant des Européens, les catéchumènes espéraient probablement voir s'ouvrir devant eux les portes de l'éducation. Plus ambitieux que les véritables *laos*, les Annamites et les Birmans avaient ouvert leur cœur au message de l'Évangile en espérant secrètement un retour d'ascenseur. Si cette hypothèse se confirmait, Launay savait que le bouddhisme conserverait ses acquis sans que rien ni personne ne puisse y apporter le moindre changement. Sans communauté chrétienne viable parmi les vrais *laos*, ce pays s'enfermerait avec joie dans les ténèbres des *phis*.

Dans sa tournée de la petite ville, Launay essuyait parfois des regards de dérision. Farouchement bouddhistes, les vrais *laos* lui souriaient par politesse. Leur attitude signifiait cependant que jamais, au grand jamais, ils n'accepteraient de se détourner de la voie de l'Éveil pour plaire au dieu crucifié.

Non violents, mais ouvertement méprisants, les bouddhistes appelaient d'ailleurs la communauté chrétienne de Houei Tha le « Club des indignes ».

— Pourquoi ? demanda Launay à Keng Chane, qui l'accompagnait désormais partout.

— À force de répéter : « Seigneur, Seigneur, je ne suis pas digne », ils ont fini par s'en persuader !

L'insolence du jeune Birman irrita d'autant plus le prêtre qu'elle s'accompagnait encore une fois d'une bonne part de vérité. Cette nuit-là, Launay se coucha de fort mauvaise humeur. Il ressemblait à un curé de campagne épuisé par sa visite paroissiale. Valait-il la peine de venir de si loin entendre quelques confessions, encourager des baptêmes et des mariages quand manifestement le nord du Laos se fichait de ces simagrées ? À moins de prêcher par l'exemple, la mission aboutirait à un fiasco à peine moins risible que celui de son prédécesseur.

Il comptait rester quelques semaines à Houei Tha avant de partir vers Muong Sé. Il le devait à ses paroissiens. Mais surtout, il devait savoir pourquoi aucun Européen (il y en avait bien une quarantaine ici) n'avait assisté à la messe. Si dimanche, aucun Occidental ne fréquentait l'église, Launay se sentirait profondément blessé. Si les Français eux-mêmes refusaient la Croix, à quoi bon œuvrer parmi les bouddhistes ?

CHAPITRE HUIT
Le charme de l'athéisme

Houei Tha. Laos, 1948.

Le lendemain, Launay rendit de nouveau visite au commandant Desmoulins. En entrant dans le bâtiment de la République, il remarqua que le décor européen donnait un air de familiarité aux bureaux de contrôle des passeports.

Desmoulins l'attendait avec le sauf-conduit.

— Je croyais que vous viendriez hier.

— J'ai eu beaucoup à faire.

— Comment aimez-vous notre bourgade ?

— Un beau ramassis de païens, ne put s'empêcher de répliquer le prêtre. Je n'ai vu aucun Européen à la messe.

— Vous n'en verrez pas beaucoup dimanche non plus ! fit Desmoulins avec désinvolture. Mis à part les militaires, les quelques Occidentaux échoués ici cherchent d'abord l'aventure. Je suis surpris qu'on ne vous ait pas renseigné.

— J'ai vu quelques Européennes à Houei Tha.

— Elles sont douze, exactement. Des légitimes qui ont suivi leur conjoint jusque dans leurs magouilles d'Indochine. Certains maris apprécient, les autres subissent. En réalité, les Français sans épouse ont les coudées beaucoup plus franches !

—On dirait que ça vous amuse.

—La Révolution gronde en Chine, père Launay. Je suis en poste pour prévenir des désordres. La troupe interviendrait si des émeutiers favorables à Mao tentaient ici un coup de force. Dans ces conditions, les magouilles de nos baiseurs de la métropole me semblent plus amusantes que dangereuses! J'aime bien voir ces petits Blancs jouer aux combinards dans l'espoir de se payer les faveurs des belles *phou-sao* leur servant de domestiques.

—Et les trafics?

—Bof! Il s'agit plus d'arnaques que de trafics. J'ai bien sûr quelques marchands de pavot, mais j'ai surtout des planteurs de ginseng et des zigotos. Ceux-là achètent aux artisans des statuettes qu'ils revendront plus tard comme «antiquités». J'ai aussi des chercheurs d'or écumant les rives du Mékong ainsi que des assécheurs, évidemment!

—Des quoi?

—Des assécheurs. Ce sont mes combinards préférés. Il circule ici toutes sortes de légendes sur les vertus aphrodisiaques de plusieurs produits naturels. On assèche donc des plantes, des champignons et même des bestioles aux propriétés aphrodisiaques. Une fois bien asséchées, plantes et saloperies sont réduites en poudre.

—Les Laotiens pourraient s'en charger.

—Le Blanc a plus le sens de la présentation et de la vente. Nos petits Blancs commandent des esquisses à des artistes *laos*. Ils impriment ces dessins sur du papier de riz et confectionnent ainsi de très beaux emballages.

Desmoulins sortit une petite boîte de carton d'un tiroir. Sur le dessus, un tigre, dessiné comme s'il débordait d'énergie, conviait la clientèle à essayer son produit. Une belle calligraphie laotienne apportait une touche d'exotisme. En traduction on pouvait lire : Tisane du tigre de Houei Tha.

— Pas mal comme effet placebo, commenta Launay.

— Détrompez-vous, la tisane fonctionne vraiment ! Ils en vendent jusqu'à Paris !

— C'est légal ?

— Plus ou moins.

— Vos « assécheurs » pourraient causer des empoisonnements.

— Ce n'est jamais arrivé. Nos magouilleurs s'acoquinent avec des herboristes laotiens fort versés dans leur art. Nous avons déjà fait analyser leurs produits. Il s'agit de mélanges ne contenant rien d'illégal ou de réputé toxique.

— Ça fonctionne ?

— Et comment ! Ces produits ont des effets vasodilatateurs, tonifiants et excitants. L'effet aphrodisiaque se manifeste en quelques jours de cure. Pour tout vous dire, je les ai essayés. Si vous vouliez tenter l'expérience… Non, j'ai bien peur que vous ne refusiez ! Je crois que vous voulez plutôt vous faire remettre votre sauf-conduit.

— J'aurais aussi quelques questions à vous poser.

Desmoulins sourit. Il savait que Launay tenterait de lui tirer les vers du nez. Il pensait qu'on l'aborderait de biais. Cette attaque frontale sans finesse l'amusa.

—Posez vos questions. Rien ne m'oblige à répondre à celles qui dépasseraient le cadre de mes fonctions.

—Qu'est-ce qu'une voleuse d'âmes?

—Une sirène du Mékong, une émule de Nguoc. Une femme au corps de serpent qui peut prendre apparence humaine. Après avoir copulé avec tout ce qui grouille de *phi-phops*, de fantômes, de sorciers et de gourous, elle vous bloque la voie menant au Bouddha en vous aspirant l'âme. En d'autres termes, un beau fantasme débile. Un ramassis de sornettes issues d'une religion excrémentielle qui, contrairement à la vôtre, a au moins le mérite d'être drôle! Et ils y croient, les cons!

Desmoulins se tapait les cuisses. Il riait de bon cœur, hoquetant à chacune de ses grivoiseries. Lui qui ne respectait rien de sacré se gaussait de la crédulité populaire.

—Comment réussit-elle à voler des âmes?

—Vous versez dans la poésie, mon cher. Sirène, sirène, au sens figuré, je veux bien admettre. Voler l'âme, façon de parler. Vous êtes au Laos, père oblat, pas dans un cours de philosophie cartésienne. Ici, mon ami, dès que le moine bouddhiste s'éloigne, le sorcier entre en scène! Ce pays si gentil, si doux, vit dans la terreur des mauvais esprits. Toute maladie provient des *phis*, tout accident, malaise ou malchance vient encore et toujours des *phis*.

—Nous voulons leur apporter la Bonne Nouvelle.

—Ils n'en ont rien à faire. En forçant la note, peut-être obtiendrez-vous chez les animistes quelques catholiques superstitieux voyant dans le crucifix un nouveau genre de talisman. Mais dans leur cœur, les Laotiens savent que ce pays appartient aux esprits. Dès que vous quittez une demeure, même chrétienne, ils appelleront le sorcier à la moindre peccadille. Et je vous danse le *Vo lam*, je vous sacrifie des poulets, puis une jarre d'alcool, et enfin un buffle. Si rien n'y fait, je vous envoie ma fille copuler avec le sorcier pour que ma grand-mère se porte mieux. C'est comme ça sur toute la ligne, Launay. Là où vous irez, à Muong Sé, ce sera le bouquet!

— Les bouddhistes n'interviennent donc pas contre ces croyances animistes?

— Non et c'est là leur grande force. En fait, la tolérance bouddhiste empêche les conversions au christianisme. Le bonze propose la voie de l'Éveil, jamais il ne l'impose. Une religion qui prétendrait détenir la vérité au point de dénoncer les croyances des autres apparaîtrait aux yeux des Laotiens et de tous les bouddhistes comme la voie de l'intolérance. Un chemin incompatible avec la compassion prônée par Bouddha.

— Admirez-vous cette religion?

— La tolérance, le pardon des fautes sexuelles, à la bonne heure! De là à croire en leur charabia…

Desmoulins se remit à rire. Il ne croyait en rien, ne respectait rien. Dans les minutes qui suivirent, il instruisit le missionnaire à sa manière sur les dogmes du bouddhisme *lao*.

— Ici, c'est le Petit Véhicule, la voie mineure menant plus ou moins au Bouddha. En clair, les Laotiens passent l'éponge sur les manquements à l'enseignement du Grand Véhicule. Ils pensent qu'on a le droit de s'amuser et d'en retirer des mérites pour l'autre vie. Plutôt surprenant comme désinvolture. Tous ces *bouns*, fêtes et *baccis* apporteraient des « mérites » aux fêtards qui ne se gênent nullement pour arroser leurs rencontres. Le Laos fête un jour sur deux. Quand les paysans jugent qu'ils ont suffisamment travaillé à leur rizière, ils sortent l'alcool, prennent leurs instruments de musique et font danser les filles. Inutile de dire que les Européens de Houei Tha fêtent à tour de bras ! Pour eux, le Bouddha, c'est le Klondike ! Comment les blâmer, les femmes de la région sont si belles qu'on étire notre temps de séjour. Je vous en prie, Launay, n'allez pas empoisonner la vie de ces pauvres types avec votre morale janséniste. La plupart d'entre eux n'avaient aucun avenir en Europe. Laissez-les à leur recherche du bonheur dans les bras d'une *phou-sao*.

Le prêtre désapprouvait sans pour autant interrompre Desmoulins. Ce dernier, qui prenait le silence du prêtre comme un genre d'assentiment tacite, se lança dans une appréciation fort personnelle de la foi laotienne.

—Ils ont le sens de l'humour. Ils croient qu'en récitant la formule « Aho ! Aho ! » on efface les conséquences de ses mauvaises actions. Mais il y a encore mieux. Figurez-vous donc que dans le Petit Véhicule on admet que, de son vivant, le Bouddha n'a pas toujours fait si belle figure ! Tenez, Bouddha, le grand ascète, serait mort d'une indigestion. Mort en dégueulant, une vraie belle mort de jeûneur ! C'est comme si le pape crevait en pleine partouze.

Desmoulins s'esclaffait. Il dépassait les bornes sans pouvoir s'en empêcher. Son rire sincère irrita Launay, qui eut soudain envie de gifler l'impertinent.

—Vous pourriez au moins avoir la décence de respecter le bouddhisme, fit le prêtre en tentant de se contrôler.

—Vous voulez que je respecte une doctrine fausse que vous savez être fausse !

—Oui.

—Pourtant, Launay, c'est vous qui ne respectez rien. D'accord, je me moque des traits les plus farfelus de leurs croyances. En revanche, je ne tente de convertir personne. Vous et vos semblables affichez une politesse de façade après avoir décidé de détourner ce peuple de sa foi.

—Nous n'imposons pas notre foi.

—L'Église respectueuse des croyances des autres, laissez-moi rire. Vous avez derrière vous les guerres de religion, les croisades, l'Inquisition, le saint Office, Torquemada, les dragonnades et les bûchers. Vous oubliez que l'Église a engendré plus de bourreaux que de victimes ! Si c'est le martyre que vous souhaitez, ne comptez pas sur nos Laotiens. Ces gens-là sont trop bons, beaucoup trop bons. Allez donc en Chine si vous souhaitez vous faire ouvrir le ventre ou subir je ne sais trop quel supplice infernal destiné à vous purifier l'âme.

—Est-ce un représentant de la République française qui s'adresse ainsi à moi ?

—Le représentant de la République vous remet votre sauf-conduit et vous souhaite bonne route d'ici à Muong Sé.

En rendant les papiers au prêtre, Desmoulins qui s'était composé un visage plus affable lui demanda:

— N'aviez-vous pas d'autres questions?

— Qu'est-il advenu du père Antoine Maizeret?

— Maizeret! Voilà enfin le vrai sens de votre visite.

Desmoulins quitta Martin et se rendit au grand classeur du bâtiment de la République qui servait à la fois de consulat, de bureau de douane et de commissariat. Il en sortit une chemise, revint s'asseoir devant le missionnaire et feuilleta le document qu'il connaissait pourtant par cœur.

— Antoine Maizeret, oblat. Arrivé ici le 12 juillet 1942 en remplacement du père Claudel, rapatrié en Suisse pour cause de maladie. Maizeret aurait prétendument, j'insiste sur le terme, obtenu des conversions. Interné par les Japonais en mars 1945, libéré en août de la même année, il a poursuivi son œuvre à Houei Tha. Puis départ vers Muong Sé, le fief de Li-Tchen, le 22 mai 1946, où encore une fois il aurait fait fureur. Depuis, disparu le Maizeret, volatilisé. Nous sommes officiellement sans nouvelles de lui depuis avril 1947.

Launay savait que cette version ne trompait personne. Il voulait connaître l'opinion personnelle de Desmoulins. Après les gros mots échangés tout à l'heure, les chances de voir ce maudit athée accéder à son souhait faiblissaient à vue d'œil.

Affable, Desmoulins prit les devants.

— Vous êtes venu aux nouvelles officieuses?

— Dites-moi ce que vous en pensez.

Desmoulins affichait ce sourire sarcastique qui déplaisait tant à Launay.

— Maizeret a volontairement disparu. Il ne veut plus quitter les terres de Li-Tchen, ce petit potentat du Nord avec qui nous sommes en bons termes. Votre Maizeret est le premier à ne plus vouloir donner signe de vie.

— La rumeur veut que Li-Tchen l'ait drogué à l'opium, répliqua Launay, ce qui expliquerait peut-être son hésitation à revenir ici.

— On ne devient pas opiomane en deux ou trois essais.

— Commandant Desmoulins, mes supérieurs croient que Li-Tchen a fait emprisonner le père Maizeret !

— J'ignore qui vous a renseigné, mais sans trop vouloir médire de votre confrère, il me faut d'abord vous préciser que le père Maizeret s'est particulièrement mal conduit.

— Mal conduit ?

— Un vrai rat de chiottes !

— Vous ne respectez rien ! Maizeret, comme tous les oblats venus ici, a consacré sa vie à sa mission. Imaginez tout ce qu'une œuvre de missionnaire peut impliquer pour un homme instruit et intelligent. Je ne parle pas seulement du vœu de chasteté qui vous fait tant rire.

— Et vous, Launay, ignorez-vous ce qu'implique comme renoncements la conversion d'un bouddhiste au christianisme ? Tourner le dos au Bouddha, c'est rompre avec sa famille, perdre ses amis, quitter ce que la vie du Laos peut avoir de typiquement laotien. C'est renoncer à la douceur de vivre au profit de la culpabilisation, c'est se voir proposer par un prêtre étranger le «choix» d'une épouse correspondant nullement à ses propres sentiments. Se convertir, c'est dire qu'on avait tort, tout comme son peuple, son histoire, sa culture avaient tort. C'est dire à ses compatriotes: «Vous êtes dans l'erreur, mes amis, puisque la vérité provient de ces étrangers qui, après avoir occupé notre pays, veulent maintenant y enlever le Bouddha.»

Encouragé par sa propre hardiesse qui laissait deviner un athéisme militant, Desmoulins toisait le prêtre comme s'il lui adressait un reproche. Pour la première fois, Launay comprit que ce militaire cynique aimait le Laos. Malgré ses fanfaronnades irrespectueuses, Desmoulins admirait l'Orient. Il aimait ce qu'il appelait la subtilité, ou encore la délicatesse de l'âme laotienne.

— Qu'avez-vous retenu de votre *bacci* à Luang Prabang? demanda le militaire sur un ton signifiant qu'il comptait lui faire comprendre certains aspects de la vie au Laos.

Martin lui parla du rappel des âmes, de l'atmosphère romantique de la cérémonie quand Desmoulins l'interrompit:

— Avez-vous remarqué une odeur spéciale dans la salle du *vat* où se déroulait le *bacci*?

— Des bougies chauffaient des soucoupes d'eau contenant de l'ylang-ylang.

— La chose ne vous a pas parue un peu déplacée?

— Pourquoi donc? Je ne connaissais pas cette odeur.

— Ils ne l'utilisent jamais dans un *vat*, ou dans aucun autre temple bouddhiste. La plante est réputée aphrodisiaque et les moines sont tenus à la chasteté.

— Ils m'ont dit que c'était de l'ylang-ylang.

— Père Launay, ils ont ainsi voulu vous faire comprendre qu'ils connaissaient votre point faible. Avec une infinie subtilité, ils vous ont dit qu'ils savaient comment vous faire chuter.

— Même si j'éprouvais une « faiblesse », rien ne m'obligerait à chuter. Tentation n'est pas péché !

— Exact. Mais ils voulaient que vous sachiez qu'ils savaient !

— Et pour le père Maizeret ?

— Il a chuté si bas qu'il ne veut plus affronter le jugement de ses semblables. Remarquez que personne n'a de preuves à vous montrer. Vous m'aviez demandé mon opinion, vous l'avez !

*　　*　　*

Quinze minutes plus tard, Martin Launay quittait le bâtiment en proie à une vive colère. Les joues empourprées d'indignation, il ne s'expliquait pas les raisons sous-jacentes du cynisme du militaire. Car Desmoulins s'était encore une fois fait un plaisir d'assaisonner ses commentaires de trivialités bien senties. À l'entendre parler, Antoine Maizeret avait d'abord sombré dans l'alcool, puis dans l'opium afin d'échapper à la honte de sa chute ! Li-Tchen et lui seraient devenus des compagnons de débauche dont les exploits se chantaient désormais jusqu'à Houei Tha. À trois reprises, l'indignation de Launay avait atteint un tel paroxysme que le prêtre en vint presque aux mains avec Desmoulins.

Toujours en proie à l'agitation, Martin déambulait maintenant dans les ruelles de la cité, jetant parfois des regards mauvais aux Européens échoués ici. « Des impies », se disait-il en éprouvant une vive douleur de l'âme. Comment ces Blancs, ces fils d'une France jadis si croyante, osaient-ils se détourner de la foi au profit des combines ? Qui veut gagner sa vie la perdra. Quelle stupidité habitait donc les hommes ? Troquer la vie éternelle contre quelques années de magouilles !

Face au pari de Pascal, l'esprit le moindrement calculateur se devait de parier pour, et voilà que ces jocrisses pariaient contre. Ils préféraient passer vingt misérables années de plaisirs charnels dans les bras d'une catin hmong que de miser sur l'amour de Dieu.

Inquiet de ce fanatisme religieux qu'il ne se connaissait pas, Launay repensait à ses propres faiblesses. Ce soir-là, à Luang Prabang, il aurait pu renier Dieu pour connaître Mi-tchéou. « C'était l'alcool, ce maudit *laoun*, qui me faussait alors le jugement », se dit-il en s'imaginant ainsi se rassurer.

D'accord, il avait eu une faiblesse mais, au moins, il croyait en Dieu. De leur côté, ces mauvais Blancs, ces immondes athées, Desmoulins en tête, s'amusaient à lancer leur incroyance comme un crachat à la face du Christ. Les Européens risquaient, par leur attitude, de saboter tout le travail des missionnaires. N'importe quel bouddhiste constaterait l'absence de foi des Blancs.

Le missionnaire se dirigeait vers les quartiers pauvres de Houei Tha. Tous ces gens prisonniers du fatalisme bouddhiste laissaient les rites et les prières des bonzes régler chaque aspect de leur vie. La pagode comme centre du monde, la voie du Bouddha comme seule lumière, le culte des ancêtres pour se rattacher à l'illusion de la continuité. « Religion de rites suivis par automatisme », pensa-t-il en se demandant si sa propre attitude condescendante différait tant du mépris affiché par Desmoulins.

Il était venu œuvrer parmi les pauvres et devait bien admettre que les rares chrétiens paraissaient plus riches que les bouddhistes. Deviendrait-on chrétien par calcul ? Va pour les chrétiens renonçant à l'estime des autres, mais que penser des chrétiens de cour, ces catholiques par opportunisme, ces lèche-bottes espérant recueillir des miettes tombant de la table de l'Indochine française ?

Toujours tiraillé par le doute (son premier *phi*), le missionnaire regardait les maisons proprettes des quartiers pauvres. Ici vivaient six mois par année les montagnards facilement reconnaissables à leurs vêtements colorés. Chaque clan affichait ses propres caractéristiques vestimentaires. Parfois, des colliers d'argent accrochés aux cous des hommes comme à ceux des femmes démentaient la réputation pauvre de ces quartiers.

Les montagnards paraissaient inaccessibles au modernisme. Ni le vingtième siècle, ni le christianisme, ni le communisme ne les intéressaient. Ils voulaient que rien ne change dans leur mode de vie ancestral. Fermiers des hauteurs, fermiers de l'opium, plus animistes que bouddhistes, ils ressemblaient à des gardiens de l'ordre universel. Launay reconnut des Hmongs, puis des Sino-Tibétains. Espérait-il ouvrir ces cœurs de pavot à Jésus?

Launay voyait Houei Tha d'un œil différent. Dans un pays où l'opium servait de remède universel, pouvait-on légitimement blâmer les Laotiens d'y recourir? À la fois analgésique, antidépresseur, calmant, euphorisant, somnifère et drogue réconfortante, le remède empoisonnait le Laos avec une tendresse langoureuse. L'opium enveloppait toutes les misères du monde comme une femme chaleureuse sachant se faire aimer jusqu'à l'abandon complet avant de devenir la plus tyrannique des maîtresses.

Si on interprétait de façon poétique les croyances du pays, l'opium serait la voleuse d'âmes. Elle vous attend aux détours du Mékong. Sa beauté surprend, car aucune fleur n'a la grâce du pavot. Telle une sirène, elle vous murmure de douces tentations.

Launay laissait son esprit prendre des sentiers inattendus quand, sortie d'une ruelle, une jeune fille vint le saluer.

— La voleuse d'âmes vous attend à Muong Sé, fit la belle *phou-sao*.

— Comment diable peux-tu le savoir?

— Je travaille pour elle, rétorqua la jeune fille avec assurance.

Martin garda son calme malgré la bravade de la jeune fille. Une approche si déplacée tenait presque de la provocation. Launay, qui pensait: «Salope, petite putain vendue à Bouddha », s'efforça de dissimuler la colère montant en lui.

— Décris-moi donc cette sirène à corps de serpent que je lui envoie des *phi-phops* lui travailler le ventre, lança-t-il avec une bonne humeur qui sonnait faux.

— Elle est Hmong.

— Évidemment ! Putain et trafiquante, qui d'autre qu'une Hmong ?

— Elle sait que tu ne crois pas en elle. Les Hmongs de tous les villages du Mékong la renseignent sur toi. Depuis ton arrivée à Luang Prabang, Li-Tchen et elle savent tout à ton sujet.

— Si cette sirène veut me tuer, elle n'a qu'à le faire ici, lança-t-il choqué par le tutoiement de la fille.

— C'est toi qui devra aller vers elle. Rassure-toi, elle ne souhaite nullement ta mort.

— Et Li-Tchen ?

— Jamais il ne te tuera.

— Que veut-il donc ?

— Que Nguoc vole ton âme.

— Elle peut le faire ?

— Elle a déjà volé celle du père Maizeret.

La jeune fille s'enfuit. Cette étrange conversation renforça Launay dans sa conviction que l'opium était Nguoc, la voleuse d'âmes, et que cette *phou-sao* au regard équivoque travaillait pour les trafiquants.

Jamais il ne toucherait à cette saloperie d'opium. Si Maizeret avait été assez fou pour se laisser tenter, tant pis pour lui. Li-Tchen et ses sbires apprendraient bien assez vite que le père Martin Launay ne flancherait pas si facilement aux vapeurs des fumées de Satan.

Avant de partir vers le nord, il comptait d'abord raffermir la foi des chrétiens de Houei Tha. Il avait beau échafauder de brillants scénarios truffés de paroles prometteuses sur le salut de l'âme immortelle, il se heurtait toujours au même obstacle : les Blancs de ce trou perdu ne croyaient en rien. Face aux bouddhistes qui eux au moins respectaient leurs propres croyances, ce « je-m'en-foutisme » des Européens formait un mur de cynisme réconfortant les païens dans leur obscurantisme.

* * *

Quand dimanche arriva, il ne compta aucun Européen à la messe. Le prêtre en fut blessé, non surpris. Il avait auparavant préparé deux versions du sermon qu'il comptait livrer aux fidèles. Le choix du sermon dépendait de la présence ou de l'absence d'Européens.

Partant du principe que les ouailles comprendraient assez bien le français, il débuta son prêche par des formules éculées lourdes de redites, laissant paraître sa joie de retrouver une assemblée de chrétiens dans ce coin de pays. Il ne croyait pas vraiment ce qu'il disait puisque la rage, et non la joie, l'habitait. Il devait lutter pour ne pas se lancer dans une diatribe féroce contre les athées.

Launay réussit à faire dévier sa colère en improvisant un couplet un peu pompeux sur le thème des premiers qui seront les derniers. Il affirma que Dieu ne faisait aucune distinction de race et de culture. Emporté par sa propre conviction, il fut à deux doigts d'ajouter « et de religion ». Malgré le sérieux de la cérémonie, il sourit en pensant au lapsus qu'il avait failli commettre.

Brusquement, il bifurqua sur les persécutions des premiers chrétiens, parla de l'abject Néron, puis du grand Théodose. Sans trop savoir comment son esprit avait pris cette direction, il prêchait maintenant sur le « levain de l'humanité » en oubliant qu'ici, au cœur de la civilisation du riz, le pain et le levain ne voulaient rien dire.

Plus terre à terre, il assura ses paroissiens de sa complète disponibilité pour entendre les confessions, régulariser les mariages, baptiser les nouveaux membres de la communauté chrétienne. Il fit grand cas des mérites que chacun avait d'afficher sa foi en milieu si hostile, ce qui n'était pas à proprement parler la stricte vérité puisque les Laotiens étaient plus méprisants qu'hostiles. Launay, qui comptait terminer son sermon par un vibrant hommage à l'Église militante, se sentit obligé de parler d'abord de l'Église triomphante (le ciel) et de l'Église souffrante (le purgatoire). Ce détour déconcerta les fidèles, qui s'attendaient à se faire lancer à la figure que les petits Blancs de Houei Tha feraient face à de furieuses représailles divines.

Ce silence sur les mécréants de même race que le prêtre offusqua les fidèles. Certains crurent que Launay ménageait les siens. À l'époque du père Maizeret, on les avait habitués à croire que les tièdes seraient « vomis » et que les blasphémateurs rôtiraient en enfer.

La première messe dominicale se solda par un demi-échec. Launay comptait sur la visite à domicile de ses paroissiens pour se faire une juste idée de la présence chrétienne dans les environs. À Luang Prabang, on lui avait remis une liste de fidèles écrite en 1946 par Antoine Maizeret. Au plus grand déplaisir du prêtre, la liste comptait plusieurs Blancs. Son prédécesseur, soucieux de faire bonne impression, avait enrichi la liste de tout ce que Houei Tha comptait de Blancs baptisés. Une telle largesse dans le calcul pouvait leurrer ses supérieurs, non le prêtre travaillant sur le terrain.

Le lendemain, Launay interrogea Keng Chane, son drôle de servant de messe, sur le sort des Laotiens inscrits sur la liste mais qui n'habitaient plus le village.

— Ils ne veulent pas y revenir. Le père Maizeret les avait aidés à se défaire du joug de l'opium. Ils s'y sont pourtant remis. Depuis, ils ont honte de se faire voir.

— Pourquoi les chrétiens seraient-ils plus sujets à l'opium que les autres ?

— Le père Maizeret œuvrait parmi les drogués. Il leur disait que Jésus ne les laisserait jamais tomber. Parfois, après beaucoup d'efforts, il persuadait un opiomane de contrôler ses doses. Il a même réussi à obtenir des sevrages.

— Et que s'est-il passé ?

— L'opium reste toujours à portée de la main. Un jour, le drogué flanche. Les Blancs ne disent-ils pas, mon père, que les Laotiens sont soit fumeurs, soit mangeurs d'opium ?

— Pourquoi flancher ?

—Les convertis de Maizeret étaient très accros! Au début, ils ont aimé l'attitude fraternelle du prêtre. Mais un jour, une faiblesse, un coup dur, une épreuve, une douleur, ou un *phi*, se retrouvait sur leur route. Un homme peut cesser de fumer, il en garde toujours l'envie. Un coup dur et c'est la rechute.

Launay termina la pensée du jeune homme:

—À la rigueur, les drogués se montreraient à leurs amis laotiens mais considèrent que leur rechute les rend indignes de s'approcher du prêtre.

—Un fossé s'est creusé, mon père. En Asie, perdre la face représente une très grande honte. Alors ils se disent *Bo phen nam* et fument tranquillement sans plus se soucier de Jésus qui, après tout, ne les avait pas vraiment soutenus.

Encore une fois, Launay détestait la lucidité de Keng Chane.

—Maizeret leur avait promis l'aide de Jésus, reprit ce dernier en esquissant un sourire de dédain. Il faut croire que le mort ressuscité les a laissé tomber! Maizeret promettait trop. Un ciel de délices aux convertis, de l'aide divine aux drogués, des tourments éternels aux mécréants blancs. Certains Laotiens ont un instant cru que Jésus était un *phi*. Mais quand les Blancs ont commencé à rire, Maizeret faisait déjà moins belle figure. Alors des Blancs ont dit: «Si ton Jésus existe, je lui demande de me détruire tout de suite. S'il ne le fait pas: ou il ne le peut pas, ou il n'existe pas.»

—Qu'a répondu Maizeret?

—Il leur a lancé des insultes mêlées de menaces. Ensuite, il leur a dit qu'il témoignerait de sa foi, même par le martyre s'il le fallait.

—Je le crois.

—Ça riait de plus belle, car personne dans ce coin de pays ne martyriserait le père. Maizeret le savait trop bien. Il a tellement perdu la face qu'il a mis le cap vers le Nord sauvage. Depuis, les chrétiens de Houei Tha sont comme des poules sans tête courant dans toutes les directions.

Launay se demandait pourquoi Keng Chane était chrétien. Par quel calcul, ce sang-mêlé (ce bâtard, pensait le prêtre) avait-il abouti chez les catholiques? Le missionnaire resta toutefois maître de lui.

—Les brebis ont perdu leur pasteur, conclut Launay.

—Oui. Vois-tu, mon père, la demande des Blancs de se faire détruire par le Dieu chrétien a beaucoup impressionné les habitants de Houei Tha. Peu de gens ici oseraient provoquer un *phi* ou une divinité.

—Je comprends.

—Maintenant, chacun craint un peu ces diables blancs. On raconte que même les *phis* les évitent.

—Ces athées ne sont que des vantards!

—Peut-être. Mais leurs compagnes, de douces Laotiennes qu'on croyait tendres et réservées, se targuent de forniquer avec plus fort que Dieu!

Launay gifla Keng Chane. Pour la première fois de sa vie d'adulte, il frappait un de ses semblables. Lui qui n'avait pas levé la main sur Desmoulins s'esclaffant au plus fort de ses fanfaronnades venait de gifler le petit bâtard birman. Il ne regrettait pas encore son geste, car tout en Keng Chane l'énervait.

*　　*　　*

Le prêtre ne savait plus à qui confier son désarroi. Dans les deux jours qui suivirent l'incident de la gifle, le missionnaire évita de rencontrer Keng Chane.

Sa tournée paroissiale lui permit de connaître quelques joies quand des fidèles lui demandèrent de se marier à l'église. Mais dans l'ensemble, la petite communauté chrétienne semblait peu convaincue. Ces gens demeuraient en partie bouddhistes.

Le troisième jour, le missionnaire sentit le remords grandir en lui. D'après les critères laotiens, il avait frappé le jeune homme sans raison valable. Un bouddhiste aurait fait preuve de retenue.

Déjà, tandis qu'il lisait de la désapprobation dans le regard des autres, le remords grandissait lentement en lui tel un *phi-phop* accroché à son âme.

CHAPITRE NEUF
La force du phi-phop

Houei Tha. Laos, 1948.

Les incroyants se surprennent parfois de la propension des chrétiens à se culpabiliser pour des fautes vénielles. La faute de Launay n'était en réalité bénigne qu'en apparence. Quand Desmoulins eut vent de l'épisode, il se permit de convoquer le prêtre.

— Les Laotiens accordent une signification symbolique au visage, fit-il sur un ton de reproche. Selon leur façon de voir le monde, la tête relève du monde spirituel, puisque plus près du ciel. En revanche, les pieds représentent la partie la plus vile du corps, celle qui demeure en contact avec la boue. Très en colère, un Laotien menacera de vous administrer un coup de pied à la figure. J'ai bien dit menacera. De là à passer aux actes, il y a tout un monde que la voie du Bouddha lui demande de ne pas franchir. Estimez-vous heureux que Keng Chane n'ait pas porté plainte.

— Auriez-vous pris sa part?

— Ne me forcez pas à intervenir dans ce genre de situation. Je vous signale au passage que vous avez déjà perdu des plumes. En giflant à la première occasion, et pour une faute légère, vous leur avez démontré que la voie de Jésus était inférieure à celle du Bouddha. Bientôt, vous commettrez les mêmes erreurs que le père Maizeret avant vous.

— J'ai entendu parler de son travail auprès des drogués.

— La prochaine fois, demandez donc des précisions sur son travail auprès des Chinois. En attendant, puis-je vous conseiller de vous réconcilier avec le jeune Birman ? Sa maison donne sur la ruelle des teinturiers.

— En quoi cette affaire vous intéresse-t-elle ?

— Je suis ici afin de prévenir des désordres. J'ose espérer que les problèmes ne viendront pas des missionnaires et des chrétiens.

— Rassurez-vous, je quitterai votre bled à la première occasion. Parlez-moi encore du père Maizeret.

— Je vous ai déjà fait savoir qu'il s'était particulièrement mal conduit. Vous devrez vous satisfaire de cette réponse.

Desmoulins coupa court à l'entretien. Il redevenait le fonctionnaire de la République chargé de l'administration de Houei Tha.

* * *

Martin prit congé du militaire en méditant sur la meilleure façon de reprendre contact avec Keng Chane. Dans sa tête, il improvisait des excuses tout en plaidant les circonstances atténuantes. Une partie de lui se sentait prête à demander pardon, l'autre partie ne voulait rien entendre, tant le jeune Birman avait mérité ses soufflets.

Le remords entremêlé de haine ne cessait de croître en lui. Il avait eu tort tout en ayant eu raison d'agir ainsi. Le missionnaire se demandait que valait le libre arbitre si deux personnes nous habitaient. Formons-nous une seule entité partagée entre le Bien et le Mal, ou sommes-nous deux personnes prenant plaisir à partager leur conscience d'être ?

La théologie chrétienne prônait l'existence d'une seule âme, sollicitée tantôt par le Bien, tantôt par le Mal. Le libre arbitre décidait du chemin à suivre. En pratique, le sentiment de cohabiter avec quelqu'un qui ne serait pas entièrement soi remettait cette perception en question. Launay, comme toute personne intelligente, sentait parfois qu'une partie de notre moi nous échappait.

Le prêtre trouva enfin la ruelle des teinturiers. Des bacs d'eau colorée dans lesquels trempaient des vêtements de coton ne laissaient aucun doute sur la nature des activités qui s'y pratiquaient. Tout sourire, une artisane saisit une chemise violacée qu'elle plaça au bout d'une perche. De sa perche, elle assujettit le vêtement encore dégoulinant de pourpre sur une des nombreuses cordes de ses installations.

— Savez-vous où habite Keng Chane ? demanda Launay à la femme.

— Juste en face, répondit la jeune femme qui souriait afin de montrer ses dents qu'elle avait très blanches.

Elle aimait sourire. Elle regarda le prêtre dans les yeux et annonça dans un français approximatif :

— Lui, le chrétien qui a si belle maison. Là, celle à la porte sculptée.

— Merci, fit Martin, surpris par ce visage de sérénité. Malgré sa position modeste, la jeune teinturière n'exprimait aucune forme d'envie.

Launay s'approcha de la demeure de celui qui préférait vivre près des bacs de couleur. Légèrement surélevée par ses pilotis, la maison de Keng Chane devait dater de moins de deux ans. Presque neuve, elle vibrait de belles teintes crème et ocre qu'accentuait le noir de l'escalier. Entourée d'une palissade comprenant une ouverture en arche, la maison se remarquait au premier coup d'œil.

Dans la cour en terre battue, Launay remarqua la présence d'une grosse citerne de céramique, typique des demeures des Hmongs.

— Keng Chane ? lança-t-il à haute voix.

Le prêtre ne franchit pas l'arche. Il attendait d'en recevoir l'autorisation. Tandis qu'il observait la porte de la maison, il remarqua des dragons stylisés sculptés en bas-relief, mais aucun symbole chrétien. Il en fut déçu.

— Entrez, fit une voix féminine.

Launay passa sous l'arche, traversa la cour intérieure et se rendit à la rencontre de la femme qui l'attendait au bas des marches de l'escalier.

— Tout le village sait que vous avez frappé sans raison mon mari à la figure, lança-t-elle dans un excellent français.

— Sans raison ? Il tournait la religion en ridicule par ses allusions désobligeantes.

Ne sachant plus trop quoi ajouter, il lança sans transition :

— Je constate que vous parlez très bien le français.

— Autrefois, à Vientiane, j'ai travaillé comme lavandière à la mission chrétienne. Comme j'étais très jeune, j'ai vite appris. Ne me demandez pas pourquoi je ne me suis pas convertie, père Launay. Revenons plutôt à mon mari.

—Je venais lui demander pardon.

—Je sais. Keng Chane a bon cœur, il veut vous pardonner. Il hésite pourtant encore à le faire.

—J'aimerais lui parler.

—Vous devez d'abord en discuter avec moi, puisque je suis l'obstacle au pardon. Nous serions plus à l'aise à l'intérieur. Entrez, montez les marches après moi.

Elle n'attendit même pas la réponse, tourna le dos au prêtre et gravit les quelques marches menant à la porte sculptée qu'elle ouvrit avec beaucoup de grâce dans le geste.

Launay aurait souhaité ne pas entrer. Il mesurait les conséquences d'un refus et se résolut à suivre la jeune femme. Elle lui fit signe de pénétrer dans la grande salle. Martin franchit la porte que la femme s'empressa de refermer derrière lui.

—Nous sommes maintenant seuls, père. Rien de ce qui se dira ici ne sortira de cette pièce.

Élégamment vêtue, elle portait des colliers d'argent avec cette assurance un peu hautaine n'appartenant qu'aux Hmongs. Cette très belle femme à la fois sensuelle et réservée affichait le sourire énigmatique de l'Orient.

—Il restera votre ami, fit-elle un peu moqueuse. Son seul souci provient de mes réactions. Il craint que je ne le méprise s'il vous pardonne trop facilement.

—Le mépriseriez-vous ?

—Non.

—Alors quel est le problème?

—Sa crainte de perdre la face devant moi, fondée ou non, l'empêche de vous rencontrer.

—Comment sortir de l'impasse?

—Il suffirait que je lui demande de vous pardonner. Il aurait alors l'impression de me faire plaisir.

—Le feriez-vous?

—Il va falloir me donner de bonnes raisons.

Dans les minutes qui suivirent, l'épouse de Keng Chane fit part de son ressentiment. Elle le fit sans élever la voix, comme si elle résumait les faits saillants d'une situation délicate.

Elle avait de nombreux griefs contre Launay. Il ne respectait pas les coutumes du pays, il heurtait la sensibilité des gens qui n'avaient jamais demandé à se détourner de la voie du Bouddha. Pis encore, il se permettait de considérer les Hmongs comme des citoyens de seconde classe, de mauvais Laotiens à moralité douteuse.

—Mais vous cultivez l'opium, intervint le missionnaire.

Sans se défaire de son calme, la femme lui laissait comprendre que la culture du pavot revenait aux Hmongs par droit ancestral et que la France elle-même comptait parmi les clients réguliers des barons de l'opium. D'accord, la France transformait le produit en morphine destinée aux hôpitaux, n'empêche que « objectivement » un client restait un client!

Elle revint alors à la question qui la préoccupait. Jamais, au grand jamais, elle n'accepterait que son mari perde la face à cause d'un prêtre étranger.

— D'accord, concéda Launay. J'ai peut-être mal agi en frappant Keng Chane.

— Chaque geste de violence porte en lui la marque du Mal. Nous les bouddhistes croyons que la colère bloque la voie menant à l'Éveil.

— Pourquoi avoir épousé un chrétien ?

— L'amour ne dépend pas de notre volonté, fit-elle avec tendresse.

Elle clignait légèrement des yeux. Toute sa figure reflétait l'amour qu'elle portait à Keng Chane.

— À vrai dire, précisa-t-elle en conservant cette expression de ravissement, je ne crois pas en la sincérité de la foi de mon mari. Il s'est laissé séduire par l'idée que le dieu chrétien mettait fin au cycle des réincarnations. Il y croit à moitié.

Le prêtre paru ébranlé par cet aveu candide.

— Que voulez-vous de moi ? demanda-t-il en ne sachant plus que penser de ce genre de situation.

— Quand vous partirez pour Muong Sé, emmenez Keng Chane avec vous. Vous aurez besoin de lui comme guide de brousse. Une fois là-bas, il restera trois semaines avec vous. Pas une journée de plus. Après, il reviendra à Houei Tha.

— Pourquoi voulez-vous qu'il m'accompagne ?

— S'il est vraiment chrétien, je respecterai son choix. J'accepterai de me marier selon sa religion, sans toutefois en partager les croyances. Mon mari décidera de la foi dans laquelle nos enfants seront élevés.

Launay accepta de bon cœur, surpris du caractère raisonnable de la proposition.

— Je dirai à mon mari d'aller vous voir demain au presbytère.

— Me pardonnera-t-il ?

— Je vous en donne ma parole.

— Merci, fit-il avec empressement. Mais j'y pense, je ne connais pas votre nom.

— Benazaire Srila.

Elle joignit les mains selon la coutume bouddhiste et pencha la tête vers le prêtre qui comprit qu'elle venait de clore l'entretien.

Martin quitta le quartier des teinturiers comme si on venait de lui retirer un lourd fardeau. « Non, pas un fardeau, rectifia-t-il en lui-même. Cette sorcière au nom étrange a retiré le *phi-phop* qui grandissait en moi ! »

Il sourit en pensant à la facilité avec laquelle tout s'était arrangé. « Les Laotiens ont bon cœur. Trop bon, dirait Desmoulins. »

*   *   *

Quand le soleil se coucha sur Houei Tha, Keng Chane regagna sa demeure. Lui aussi se sentait le cœur léger, mais pour une autre raison.

— Alors, Srila ? demanda-t-il à son épouse.

— Tout s'est bien passé. Je l'ai manipulé comme un novice. Ce crétin accepte de voyager avec toi.

— Parfait.

— Je t'aime, lança-t-elle soudain avec ce regard qui avait surpris le prêtre.

— Le bonze chrétien m'a fait perdre la face à tes yeux, Srila.

— Non. Et pourtant, même si je t'assure du contraire, toi, tu le crois toujours. Alors, tel un *phi-phop*, la honte va te travailler jusqu'à ce qu'elle réussisse à te faire douter de moi. C'est pourquoi tu dois aller à Muong Sé. Une fois là-bas, fais-moi chuter ce prêtre étranger jusqu'au discrédit total.

— Compte sur moi.

— Le maître craint ce Launay, reprit Srila un peu inquiète.

— Nous devons tant à Li-Tchen, à commencer par le bonheur d'être ensemble. Le maître sera heureux de savoir que je veille à ses intérêts. Dommage d'avoir à te quitter.

— Tu me reviendras avec de la face à revendre ! Quant à cet imbécile de Launay, je le veux encore plus disgracié que son Maizeret.

— Fais-moi confiance. Le piège se referme déjà et il ne s'aperçoit de rien.

— Il se méfie un peu de toi. Tu aurais dû le voir verdir quand je lui ai parlé de mes doutes sur la sincérité de ta foi.

— À ton avis, que sait-il de nous ?

— Rien de rien.

*   *   *

Le lendemain, le missionnaire reçut la visite de Keng Chane au presbytère.

— Faisons un trait sur le passé et soyons amis, fit le jeune homme.

— M'accordes-tu ton pardon ?

— Bien sûr. Entre nous, mon père, j'avais aussi mes torts dans cette histoire.

— J'ai parlé à ta femme, hier.

— Elle m'a tout dit, fit Keng Chane d'un ton agréable.

— Alors tu sais que nous partons ensemble vers ce que vous appelez le Nord sauvage.

Le père marqua une pause. Il éprouvait de la reconnaissance envers ce jeune homme qui lui pardonnait si aisément.

— Tu as épousé une vraie perle.

Launay coupa court aux confidences. Il ne voulait pas provoquer davantage Keng Chane en parlant de la possibilité d'un mariage chrétien si sa femme jugeait de la sincérité de sa foi. Il se tut par respect du caractère privé de l'entretien que lui avait accordé Benazaire Srila.

— Je serai prêt dans quelques jours, annonça le jeune Birman. Mieux vaut ne pas voyager à deux. Quand nous quitterons le fleuve, il nous faudra franchir la brousse sur plus de 80 kilomètres. Je préférerais que nous soyons quatre. Toi, père, tu resteras à Muong Sé aussi longtemps que tu le souhaiteras. Les accompagnateurs repartiront après trois semaines.

— Crains-tu de revenir seul ? demanda Launay comme s'il voulait se faire une idée du courage du jeune homme.

— Dans la brousse, on ne voyage jamais seul, rarement à deux, toujours à trois. Il nous faut aussi des provisions et des armes.

— Je suis missionnaire, je ne pars pas tuer des gens.

— Les sentiers ne sont pas sûrs, père. Les tigres et les caïmans les traversent souvent.

— Crains-tu les fauves ou les *phis* ?

— Mieux vaut rencontrer un fauve. Les *phis* ne craignent pas les fusils.

— Va pour les armes. Les caïmans n'ont qu'à bien se tenir s'ils ne veulent pas finir en godasses !

Bien que missionnaire, Launay avait de l'argent sur lui. À Luang Prabang, ses supérieurs l'avaient obligé à accepter les billets nécessaires au carburant, aux provisions et aux imprévus. L'achat d'armes représentait ce premier imprévu.

— Où peut-on s'en procurer ? s'enquit le prêtre.

— Chez les marchands blancs. Vous aurez besoin d'un permis que vous remettra le commandant Desmoulins. Il me faut un permis à moi aussi, de même qu'un sauf-conduit pour Muong Sé.

— Les Laotiens ne voyagent-ils pas comme ils l'entendent ?

— Partout ailleurs, oui. Mais le Nord sauvage est fermé à la circulation.

— À cause de la révolution en Chine, compléta Launay.

*   *   *

L'Indochine française brillait de ses derniers feux. En moins de cinq ans, les immenses empires que s'étaient taillés la France et la Grande-Bretagne craqueraient de toutes parts. En moins de dix ans, les grandes puissances coloniales deviendraient elles-mêmes des pays de deuxième ordre, loin derrière les géants américain et soviétique.

La France craignait que les communistes, déjà actifs en Annam et au Tonkin, ne finissent, avec ou sans l'aide de la Chine, par rafler l'Asie du Sud-Est, Laos inclus.

La France, soumise à l'instabilité de ses institutions politiques, menait une politique équivoque. Ses parlementaires toujours à la recherche de nouvelles coalitions pactisaient parfois avec les communistes. Ses artistes, de même que bon nombre de ses intellectuels les plus en vue, se glorifiaient de leur appartenance au Parti communiste.

À Paris, les Staliniens formaient une contre-culture avec son culte de la personnalité. Les manifestations quasi religieuses ressemblaient à de grandes messes célébrées en l'honneur du «petit père des peuples».

Chez plusieurs ouvriers et pauvres types sous-payés, la République et son empire ne valaient pas un centime. Joseph Staline leur tenait lieu de messie, avec ses promesses d'un grand soir pour bientôt, très bientôt.

Partout, les idées humanistes, hédonistes et existentialistes se teintaient d'une nuance anticléricale dont Launay sentait la présence jusqu'à Houei Tha. La France se situait aux antipodes de la belle unanimité religieuse caractérisant le Québec de 1948. Il y a longtemps que l'incroyance avait donné de grands coups de boutoir dans la foi de l'ancienne mère patrie.

Depuis les années 1790, la France s'était en grande partie déchristianisée. Elle avait connu les mascarades religieuses, ces longues processions d'ânes et de porcs vêtus de chasubles ou portant la mitre par dérision. Dans

les campagnes, les hébertistes avaient orchestré ces immondes pratiques.

Hébert ! Socialiste avant l'heure, ce pam-
phlétaire grivois avait laissé son personnage
outrancier du père Duchesne cracher au visage de Jésus. Révolutionnaires enragés, Hébert
et les siens avaient voulu remplacer la fête de
la Vierge Marie par celle de la poule, Noël par
la fête du fumier ! Ils avaient réussi à transformer Notre-Dame de Paris en un lieu de fêtes
révolutionnaires dans lesquelles on célébrait
la déesse de la raison expédiant la superstition
chrétienne aux poubelles de l'histoire.

Comme Eugène de Mazenod, le fondateur
des Oblats, avait dû souffrir de ces blasphè-
mes ! Hébert eut beau périr guillotiné, rien ne
put éteindre le brasier de l'anticléricalisme en
France. Après Robespierre et ses charrettes de
condamnés, il y eut Barras le corrompu, puis
Bonaparte le sanglant qui, aux derniers jours
de sa vie, aurait confié à ses proches qu'à son
avis, Jésus n'avait jamais existé !

Chrétien sincère, Martin Launay voyait
en Desmoulins le représentant de ces intellectuels hautains qui, depuis plus de cent cin-
quante ans, s'évertuaient à tourner le Christ
en ridicule.

D'accord, la France chrétienne avait commis des erreurs, mais de là à dénigrer l'espoir
même du genre humain au nom d'un huma-
nisme douteux, il y avait un fossé que Launay
ne comprenait pas. Que faire quand ces anticléricaux sévissaient au cœur même des missions catholiques ?

*   *   *

Martin souhaitait partir immédiatement sans plus se soucier de Desmoulins et des petits Blancs. Il devait auparavant obtenir le sauf-conduit pour Keng Chane et laisser au jeune Birman le temps nécessaire pour trouver les deux autres Laotiens qui voyageraient avec lui.

Keng Chane n'avait pas encore choisi ses compagnons. À son plus vif déplaisir, il apprit que Xuyen, le jeune Laotien qui avait accompagné Launay en pirogue depuis Luang Prabang, avait rendu visite au prêtre pour lui demander de faire le voyage vers Muong Sé.

— Pourquoi veux-tu y aller ? avait rétorqué Launay surpris par la requête. Je croyais que tu avais de la famille à Houei Tha.

— J'ai caché au père mes véritables raisons de quitter Luang Prabang.

— Ne me dis pas que tu as partie liée avec les trafiquants d'opium. Je ne te croirais pas, Xuyen. Et ne viens pas me dire que tu t'intéresses au christianisme !

— Je suis bouddhiste.

— Bouddhiste et superstitieux, oui ! Pourquoi irais-tu te faire mordre les fesses par les *phis* de Muong Sé ? Ne crains-tu pas le Nord sauvage ?

— Oui. Je dois pourtant y aller.

Launay restait perplexe. L'idée de voyager à nouveau avec Xuyen lui plaisait. Malgré ses croyances en toutes sortes de superstitions, le jeune homme restait ouvert d'esprit. Le missionnaire hésitait à le questionner davantage.

Manifestement, Xuyen voulait qu'on l'accepte sans trop fouiller ses motivations.

À vrai dire, la présence de Xuyen rassurait Martin. Le jeune homme était un véritable Laotien, pas un sang-mêlé à demi Hmong comme Keng Chane. Encore une fois, Launay se reprocha sa propension à ce qu'il fallait appeler une forme de racisme plus ou moins avoué. Que pouvait-il y faire ? Contrôle-t-on ses sentiments ?

Racisme ou non, il préférait la présence des vrais Laotiens. Son cœur lui disait d'accepter sans trop poser de questions.

— Si tu me laisses y aller, je te dévoilerai mes raisons la troisième journée du voyage, proposa le jeune homme.

— J'espère au moins qu'elles sont bonnes. Je t'accepte avec plaisir, Xuyen. Tu dois auparavant savoir ce que j'ai déjà promis à Keng Chane. Les trois personnes qui m'accompagneront devront retourner à Houei Tha trois semaines après mon arrivée à Muong Sé.

— Tu as ma parole.

*   *   *

Desmoulins reçut sans surprise la visite de Launay accompagné de Keng Chane, Xuyen et d'un autre voyageur, un certain Champa aux traits si incontestablement laotiens que son regard reflétait la sérénité du Bouddha. « Ce Champa a sûrement déjà été bonze », se dit le militaire.

À Houei Tha, comme partout ailleurs dans la société laotienne, l'usage voulait qu'une partie de la population masculine ait déjà connu la vie de monastère. Après quelques années, ces jeunes hommes se mariaient et gardaient toujours en eux le calme de la voie menant à l'Éveil.

Cette coutume si bien enracinée favorisait une meilleure compréhension entre les moines et la population laïque. Contrairement aux mœurs chrétiennes qui dressaient un mur entre le cœur d'un prêtre et celui d'une femme, l'âme laotienne aimait voir d'anciens moines connaître un jour l'amour. Personne ici ne prononçait de vœux perpétuels.

La journée où la vie du monastère ne vous convient plus, vous revenez chez les laïcs. Tout n'est cependant pas toujours rose. On aurait tort de verser dans une description trop complaisante de la vie au monastère, car un bon moine ne cède pas à la chair et ses tentations l'éloignent de l'Éveil. S'il succombe, il subit un genre de disgrâce qui finit néanmoins par tomber d'elle-même.

C'est là le charme de l'Orient. Nul stigmate d'exclusion ne marquera le fautif très longtemps. Certains le désapprouveront, d'autres hausseront les épaules. Il se trouvera toujours une femme intriguée par cet ancien ascète.

Cette tolérance un peu fataliste couvrait tous les aspects de la vie au Laos. Le temple demeurait proche. Sa sérénité veillait sur le pays.

Launay se rendait compte de cette emprise étrangement laxiste sans savoir comment la combattre. Il se sentait si seul. Seul devant les athées, seul devant les bouddhistes, les bonzes, les Hmongs, les femmes et malheureusement, combien malheureusement, seul aussi devant ces semi-chrétiens de Houei Tha.

En Orient, plus que partout ailleurs, le missionnaire souffre de solitude. On lui demande d'œuvrer parmi des gens qui, pour la plupart, ne seront pas ses amis. Le prêtre voudrait bien connaître l'amitié, on lui suggère pourtant de s'en tenir éloigné ! Car un ami bouddhiste demeure un adversaire et un ami athée présente déjà les traits d'un ennemi.

Launay entretenait encore ces pensées quand il alla voir Desmoulins.

— Il nous faut des permis de port d'arme, de même que des autorisations de séjour au Nord pour ces trois voyageurs.

— Vous les aurez. Mais je doute que Champa accepte de porter les armes. Il préférerait se faire tuer par un tigre que de faire feu sur lui. Il a la compassion du Bouddha vissée à la mâchoire.

La métaphore déplut à Launay, qui se scandalisait toujours du manque de respect du commandant Desmoulins.

— Vous aurez de la compétition au Nord, Launay. Croyez-vous sincèrement pouvoir afficher la sérénité de ce visage ? Regardez bien Champa. D'où lui vient cette lumière intérieure ? J'aimerais bien savoir pourquoi les chrétiens ne la possèdent pas.

Le prêtre était sur le point de répondre quand Desmoulins, toujours aussi cynique, s'autorisa une perfidie :

— Je connais des petits Blancs qui se laisseraient plus facilement séduire par le bouddhisme que par votre *credo*. Je doute que vos enseignements convainquent nos baiseurs de renoncer à leurs compagnes!

—Vous ne respectez décidément rien. Dieu vous aime malgré tout, commandant.

—Je me demande ce qu'il lui prend! Vous me trouvez si aimable, vous?

—Non, trancha le prêtre exaspéré. Revenons donc à la question des permis puisque, moi aussi, je me demande pourquoi Dieu vous tolère encore.

—Allons, Launay. Restons en bons termes. Je connais le problème de la solitude du missionnaire. L'Orient vous renvoie à vous-même. Si au moins vous étiez chez les sauvages ou les Nègres, vous pourriez peut-être briller à leurs yeux. Le prestige du Blanc! Mais ici...

—Quoi ici?

—Ils ont des millénaires de civilisation derrière eux. Ils connaissaient l'écriture quand nos ancêtres se fendaient le crâne à la hache. Personne ici ne se sent inférieur au Blanc. Ils ne sont pas comme les Nègres de Guinée, obsédés par leur passé d'esclaves, ou honteux de ne pas avoir de civilisation digne de l'Antiquité à laquelle se rattacher. L'Oriental n'a aucun complexe devant vous. Vous ne pouvez pas lui apporter la civilisation, il l'avait bien avant l'Europe!

—Revenons aux autorisations.

—D'accord, je cesse mon prêchi-prêcha et je signe les sauf-conduits pour vos acolytes. Je n'ai pas dit que j'approuvais votre choix de compagnons de voyage. Je signe les papiers. Nuance. Espérons qu'à Muong Sé, ces trois zigs ne deviendront pas les *phi-phops* du doute travaillant votre communauté chrétienne sur laquelle vous entretenez de belles illusions !

— Les permis de port d'armes ? demanda le missionnaire dégoûté des commentaires du militaire.

— Les armes servent au voyage, père. Une fois à Muong Sé, vous les confierez à la garde des représentants de Li-Tchen. Personne là-bas ne veut voir de missionnaires armés, Li-Tchen moins que quiconque.

— Vous fermez les yeux sur ses combines.

— Nous n'avons rien à lui reprocher. Li-Tchen compte parmi les amis de la France.

— Avant moi, le père Maizeret…

— Maizeret, Maizeret ! Je crois qu'il se meut dans la fange de l'opium et de la luxure. Il y baigne sûrement jusqu'aux fesses !

— Il s'agit d'un cas de disparition. Intervenez au lieu de spéculer.

— Sous quel prétexte ? Je n'ai reçu aucune demande officielle de faire quoi que ce soit à propos de cette prétendue disparition, ni même d'aller faire un tour à Muong Sé. Mes informateurs m'ont plus souvent parlé d'apparitions, au demeurant pas toujours brillantes de ce Maizeret, que de disparition.

— Je vais le ramener, moi.

— Grand bien vous fasse.

CHAPITRE DIX
Quand Nguoc veut que je sache...

Houei Tha. Laos, 1948.

Desmoulins lui remit les sauf-conduits de même que les permis de port d'armes dûment signés. Le militaire n'avait pas tenté de mettre le bois dans les roues. Il avait à peine contrôlé l'identité des accompagnateurs, se contentant de jeter un coup d'œil rapide à leurs papiers afin de s'assurer de l'orthographe des noms à inscrire sur les formules d'autorisation.

Le prêtre s'était attendu à des objections ou à de sévères mises en garde. Rien. Le tout s'était déroulé dans la bonhomie un peu trop désinvolte du militaire.

*   *   *

Launay arpentait les rues des quartiers commerçants de Houei Tha. Il trouva très vite un genre de magasin général tenu par un Blanc. Il lui fallait des provisions, des armes, du carburant et quelques marchandises de base nécessaires au broussard.

Le missionnaire évaluait les étalages du commerçant quand, après avoir remarqué des fusils de chasse, son regard tomba sur un appareil dont la vue lui causa un pincement au cœur.

«Quel âne j'ai été!» se dit-il en fixant l'appareil.

Le commerçant remarqua son trouble.

—Quelque chose ne va pas, mon père? fit le marchand avec l'accent chantant du Sud qui trahissait ses origines marseillaises.

C'était un gaillard sympathique, le genre de bon vivant qui réussissait en affaires parce qu'il savait se faire aimer des autres.

—En vendez-vous beaucoup? demanda Martin les yeux toujours rivés sur l'appareil.

—Les Laotiens adorent ces jouets. Pour eux, la radio amateur c'est comme le vingtième siècle dans leurs cabanes.

—Ils n'ont pas de prises électriques!

—Nul besoin, j'ai toutes les piles qu'il leur faut. Et j'en vends mon père, j'en vends! Saviez-vous que les *laos* les plus futés codifiaient leur langue en morse? Même si vous parliez le laotien couramment, vous ne comprendriez rien à leurs messages.

—C'est légal?

—Desmoulins distribue des permis à la volée. Ici, tout le monde se contrefiche des lois tatillonnes.

Le père oblat avait oublié que le Laos vivait lui aussi au vingtième siècle. Voilà pourquoi chacun savait tout à son sujet des kilomètres avant son arrivée. Bête comme chou. Comment avait-il pu ne pas penser aux ondes courtes? Il était Blanc, il avait sous-estimé l'Oriental. Voilà comment.

«Quand Nguoc veut que je sache, je sais!» Le beau prodige à la portée du premier venu. Un peu plus et il aurait envisagé un genre de télépathie avec les *phis!* « Quel âne j'ai été », se répéta-t-il en lui-même.

Il affichait le sourire triste des gens abattus par leurs propres erreurs. Il regardait la radio à ondes courtes en comprenant qu'on l'attendait déjà à Muong Sé. Li-Tchen devait être au courant de ses moindres gestes depuis son arrivée à Luang Prabang.

Mécontent de tout puisque mécontent de lui, Martin examinait les armes. Il avait dans les yeux un éclat de violence incompatible avec la soutane blanche qu'il portait. Le marchand remarqua la dissonance entre le regard et la robe de ce client.

— Si vous partez à la chasse au tigre, je vous déconseille le long rifle ou la 303. Choisissez plutôt la Winchester à treize coups en priant Dieu que le tigre prenne la fuite.

Le marchand expliquait les avantages comparés des armes comme s'il donnait un cours sur le rendement des différentes semences de haricots.

— Avec la 303, vous n'auriez jamais le temps de tirer un deuxième coup si le tigre chargeait. Avec la Winchester, peut-être…

Son expression de doute signifiait qu'un bon chasseur disposerait d'un second feu, tandis qu'un prêtre ferait mieux de s'en remettre à la Providence.

— Et la 30-30 ? interrogea le missionnaire.

— Très bonne arme. Boucan d'enfer, recul viril et projectile à faire crever un buffle. N'empêche que je vous la déconseille.

— Expliquez-vous.

— Au Laos, vous trouverez partout des munitions de Winchester, peu de 30-30. On n'utilise pas beaucoup cette arme par ici. Les Laotiens lui reprochent de n'autoriser que cinq balles par chargement. Dans les petits comptoirs, vous ne trouverez pas facilement de cartouches.

— Je pourrais vous en acheter un bon stock!

— Si vous les perdiez, il serait difficile de les remplacer.

— Boucan d'enfer, m'avez-vous dit?

— Une arme virile qui fait peur à entendre. La mort par coup de tonnerre.

— Une mort propre?

— Oh! Oh! C'est qu'on veut ramener le tigre en bon état. Alors oui, père, une mort propre.

— J'en prends trois.

— Un instant, fit le marchand partagé entre le respect de la loi et l'appât du gain. Je ne peux pas vous vendre ces bidules sans permis.

Launay laissa tomber les autorisations sur le comptoir. Le négociant reconnut la signature du commandant Desmoulins. Son regard interrogeait le prêtre sur l'identité des chasseurs.

— Martin Launay, j'imagine que c'est vous, annonça-t-il en marchand sûr de sa pratique. Keng Chane, je connais. À moitié Birman, non? Un drôle de phénomène. Xuyen Lee DucTho, c'est quoi ça?

— Un ami.

— Je vous le souhaite. Il ne manquerait plus que vous remettiez une 30-30 entre des mains ennemies! Mais j'y pense, ce Keng Chane n'est-il pas le jeune homme que vous avez récemment giflé pour des peccadilles?

— Oui.

—Êtes-vous bien certain de vouloir lui confier une arme?

—Oui.

—Guère bavard, notre missionnaire! Si vous souhaitez me convertir, il faudra trouver autre chose que oui, non et *Bo phen nam!* Vous faites un mauvais calcul en confiant cette arme crache-la-mort à un Birman fraîchement giflé. À vrai dire, je n'aime pas cette commande. J'hésite.

—Trois 30-30 et quatre cents cartouches.

—Vous partez à la chasse ou à la guerre? Quatre cents cartouches, vous n'y allez pas de main morte.

—Vous ne les avez pas?

—J'en ai deux mille. Je peux fournir, mais je n'aime vraiment pas cette vente. Dans la brousse, les accidents de chasse arrivent si vite.

—Nous ne partons pas à la chasse. Nous allons à Muong Sé, d'abord par le fleuve, puis en coupant par la brousse. Les tigres et les caïmans fréquentent ces sentiers.

—Peut-être verrez-vous deux ou trois de ces bestioles. Que comptez-vous faire de tant de cartouches?

—Préférez-vous vendre ou questionner?

Le marchand sourit. Il revêtait maintenant l'habit du négociant intéressé uniquement par les profits de ses activités. Si ce prêtre voulait crouler sous le poids des munitions et tirer les oiseaux chanteurs à la 30-30, libre à lui. Quatre cents cartouches, pourquoi pas? Carnage dans la brousse, boucherie le long du fleuve. À la bonne heure, mon père. Que le diable vous emporte, vous, ce maudit Birman, vos crucifix et vos cartouches. Payez-moi au plus vite et qu'on en finisse.

Extérieurement, le marchand affichait une attitude neutre. Il prit trois carabines, compta les boîtes de cartouches et sortit des formulaires bleutés sur lesquels il inscrivit les numéros de série des 30-30 ainsi que les cotes alphanumériques des permis. Tout paraissait légal. « Légal et stupide », se dit l'homme en s'interrogeant sur l'attitude laxiste du commandant Desmoulins accordant des autorisations sans trop penser aux conséquences.

Pris d'un doute, il estima préférable de faire contresigner les formulaires par un témoin.

— May Lai, appela-t-il.

Entrant par une porte attenante à la boutique, une Laotienne surgit derrière le comptoir. Le marchand passa tendrement son bras autour des épaules de la jeune femme, puis la serra contre lui.

Launay comprit que, malgré ses vingt ans de moins, cette femme était la compagne du négociant. L'homme approchait la cinquantaine, May Lai devait avoir un peu moins de trente ans. Le prêtre vit en cette union illégitime cette fameuse recherche du bonheur dont lui avait parlé Desmoulins ; celle des pauvres hères préférant l'aventure à l'Europe. Ils aboutissaient à Houei Tha pour s'endormir enfin dans les draps d'une *phou-sao*. Quelle était la faute du marchand ? Pourquoi avait-il fui l'Europe où il aurait probablement mieux réussi qu'ici ?

Launay n'osait pas questionner l'homme. Il préférait inventer lui-même les réponses.

Rouge d'Orient

« Probablement une histoire de divorce ayant mal tourné, se dit-il en pensant à l'aspect moral de la question. On fuit le passé, on s'accorde une nouvelle chance, on tente d'échapper aux pensions alimentaires, on magouille un peu, puis on finit par copuler avec plus attirante que sa légitime. Ne reste plus qu'à déguiser ça en amour et à se tenir avec le même genre d'individus fort mal placés pour vous juger ! »

« La loi vous en donne le droit, la société ferme les yeux, mais Dieu voit votre péché, monsieur le négociant, » conclut le missionnaire en son cœur.

Launay orienta ses pensées vers une nouvelle direction. Que se passerait-il si ce marchand aimait sincèrement cette femme ? Le christianisme, message d'amour, se devait de le condamner. Lourde question. Si, au lieu de crier « adultère » ou « fornicateur », le prêtre lançait « amoureux » comme insulte, qui donc y verrait matière à scandale ? Que décidait Dieu quand ce sentiment d'amour s'avérait authentique ?

Launay regardait May Lai. On aurait dit un ange de douceur. Coucher avec cette femme entraînait-il le châtiment éternel ? Pouvait-on approuver la sentence ? Ces questions avaient-elles un sens ? S'il était exclu qu'un prêtre puisse désapprouver Dieu, un homme avait déjà jugé Dieu.

Launay fut pris d'un vertige. Il faisait face à la plus grande angoisse des prêtres. La seule fois où l'homme avait convoqué Dieu au tribunal, il l'avait fait crucifier. Jésus, victime innocente, torturée à mort sur la croix. Et pourtant, malgré la cruauté de ce châtiment, on se devait d'envisager le point de vue de l'homme. Si Dieu orchestrait lui-même la souffrance des humains, s'il les condamnait au feu éternel pour des fautes sexuelles objectivement peu criminelles, la sentence prononcée contre Dieu prenait une toute autre dimension.

Launay craignait de pécher contre l'Esprit saint. Ses pensées sacrilèges se bousculaient dans sa tête. Condamnerait-il lui, Martin Launay, le marchand et sa compagne au feu de l'enfer ? Non. Ne risquait-il pas alors, lui, le prêtre, de se sentir moralement supérieur à Dieu ? Ce Dieu qui, d'un côté, demandait de pardonner et qui, de l'autre, en était lui-même incapable. Que valait ce Dieu ? Où était sa compassion, son christianisme ? Expédier aux flammes de pauvres âmes portées sur la bagatelle semblait si peu chrétien.

Launay aurait préféré ne jamais connaître ces doutes. Il les connaissait pourtant trop bien. Depuis l'âge de raison, il y avait pensé chaque jour de sa vie. Son engagement total au service de Dieu provenait d'ailleurs de ses questionnements.

Une partie de lui estimait que Dieu avait mérité sa sentence de mort. Cette angoisse lui faisait soudainement si mal qu'il comprenait le chant des sirènes. Il aurait aimé se lancer dans les mensonges de l'opium ou dans le réconfort de l'alcool. Par espoir, par désespoir, au fond le prétexte importait peu. Et ce Dieu qui ne répond pas. Pouvait-on blâmer l'homme de répondre à ce silence en se vautrant dans la passion des femmes ?

Ici, dans ce bled pourri de Houei Tha, Martin péchait par la pensée parce que la beauté d'une jeune païenne l'avait ému. Il prit conscience de l'incongruité de sa situation. Un prêtre achetant des armes à un fornicateur impénitent. Bouffonnerie! Un missionnaire se faisant remettre ses permis de port d'armes par un athée anticlérical. Vaudevillesque! Un père oblat qui gifle le bâtard birman pour ensuite remettre en question la bonté de Dieu. Scandaleux!

Était-ce le diable qui lui suggérait ces abominations? Comme il aurait voulu dire: « Oui, c'est ça, le diable m'a tenté! Belzébuth m'a fait chuter. Satan s'est mis sur ma route. »

Il se parlait intérieurement:

« Allons, trêve d'insanités, mon matelot. Seule la beauté des femmes te travaille l'instinct te servant de cervelle. L'orgueilleuse raison n'est plus qu'un prétexte de troisième ordre. Si tu perds la foi, mon cochon, tu iras te consoler dans le lit d'une *phou-sao*. Tu le sais et tu le souhaites, salopard. Voilà pourquoi tu gardes une attitude distante face à ce marchand. Tu penses que sa femelle vaut plus que ton Dieu. Méfie-toi, Martin Launay, car un jour tu jugeras que Dieu ne vaut pas la semelle des souliers d'une catin. Ce jour-là, balance ta foi aux chiottes du Mékong, cherche dans les ténèbres du Bouddha la flamme qui illuminera ton âme. Vois ce marchand; sa lumière se nomme May Lai. Un beau mirage qui se flétrira, mais qui, aujourd'hui, vaut plus que le paradis. Méfie-toi, Martin. Cette faiblesse grandit en toi comme un *phi-phop*. Tu dois réapprendre à aimer Dieu si tu veux aller à Muong Sé. Aimer Dieu! Comme si l'amour dépendait de notre volonté... »

—Quelque chose ne va pas, mon père? demanda le négociant d'un ton amical.

L'homme, qui voulait conclure la vente, éprouvait toutefois de la compassion. Le trouble du prêtre le touchait. Il l'appelait «mon père» en se rappelant que ce missionnaire aurait pu être son fils!

—Excusez-moi, cette chaleur... marmonna Launay.

—La chaleur? Ce serait plutôt la fièvre!

—Vous arrive-t-il de croire en Dieu? demanda Martin sans savoir pourquoi il discutait de théologie.

—Parfois.

—Ressentez-vous de l'amour pour Lui?

—En Orient, père, on vit à l'orientale. Le Bouddha, les *phis*, le culte des âmes, le dieu chrétien, ça vous fait toute une ratatouille. Je dirais qu'ici, on oublie de raisonner. Les gens cherchent le bonheur.

—C'est partout pareil.

—Non, père. En Occident, on cherche le confort, pas le bonheur.

*   *   *

La réplique surprit Martin. Il saisissait l'immense attirance qu'exerçait l'Orient sur l'âme occidentale. Plus il regardait May Lai, plus son esprit refusait la notion de péché mortel associée aux fautes sexuelles. En principe, sa formation d'oblat le poussait à condamner l'illégitimité et à voir dans le péché de la chair un crachat lancé à la face de Jésus. Dieu étant éternel, la faute se prolongeait dans l'éternité;

d'où l'acceptation chrétienne d'un châtiment divin se poursuivant des siècles et des siècles. Mais qu'est-ce qu'un siècle au regard d'un milliard d'années ? Dans quelques millions d'années, Dieu sera-t-il toujours incapable de pardonner les fautes de ce couple illégitime ? Si oui, ce Dieu est-il lui-même chrétien...

Heureusement, l'homme assailli par les tourments de l'esprit se laisse facilement distraire par les considérations concrètes. Qu'arrive la faim, la soif ou l'envie de dormir et l'angoisse s'efface devant la réalité immédiate. Le prêtre sentit ses craintes le quitter quand May Lai se pencha pour apposer sa signature sur les doubles exemplaires des formulaires bleutés. Sa calligraphie précise, appliquée d'une main sûre, aurait pu être celle d'une femme instruite à l'occidentale. Cette signature comme témoin de la transaction rendait le document on ne peut plus officiel.

— Avez-vous besoin d'autre chose, mon père ? demanda-t-elle d'une voix si rassurante qu'on avait envie d'acheter tout le magasin.

Un peu mal à l'aise, Launay décida d'acquérir en un seul endroit l'ensemble des fournitures nécessaires au voyage dans la brousse. Il avait auparavant dressé une liste des achats.

— La commande vous sera livrée demain midi au presbytère de Houei Tha, annonça le marchand qui tenait en stock tous les articles demandés par le missionnaire.

— Je vous payerai comptant, en francs français.

— Le reçu vous sera remis demain à la livraison, répondit l'homme ravi de l'importance de la transaction.

* * *

Trente minutes plus tard, Launay arpentait les ruelles de la ville en tentant de se concentrer sur l'aspect abstrait de la notion d'amour du prochain. Comme il était facile d'aimer l'humanité tout en méprisant les individus qui la composent. Le prochain abstrait s'avérait toujours plus digne d'amour que l'homme concret qui croise votre route.

Quant aux femmes, elles étaient faciles à ignorer comme composantes abstraites. Mais que survienne une belle *phou-sao* tridimensionnelle et tout le raisonnement intellectuel issu de la scolastique ne valait plus un liard. Le jugement, le bon sens n'avaient plus aucune substance devant la tyrannie du désir sexuel. Et comment ignorer les femmes dans ce pays où chacune rivalisait de charme ?

Le prêtre passa l'après-midi dans le secret de ses tiraillements. En soirée, il regagna enfin le presbytère où il comptait se coucher tôt. Il fit la cuisine en vitesse, avala son repas sans vraiment prendre le temps d'y goûter. Il ouvrit ensuite une bouteille de *laoun* qu'il avait achetée la veille au marché. Il entreprit de se saouler. Son rôle sur cette terre lui paraissait insignifiant.

Depuis son arrivée au Laos, il avait été en deçà de toutes les attentes, y compris des siennes, préférant faire le touriste à Luang Prabang, puis l'aventurier de carnaval sillonnant le Mékong. Prêtre de *bacci*, Launay n'avait rien apporté aux autres. Dès le début, il avait éprouvé des pensées impures. D'abord avec Mi- tchéou, puis avec les autres femmes à qui il avait parlé. Mieux encore, il avait trouvé le tour de gifler le seul servant de messe du patelin. S'il n'avait rien offert aux autres, il s'était en revanche payé le luxe de verser dans les pensées blasphématoires.

Il avait pourtant de l'étoffe et il le savait.

« Que m'arrive-t-il ? se demanda-t-il un grand verre de *laoun* à la main. Le péché d'orgueil m'empêcherait-il de prêcher par l'exemple ? Dieu m'a doté d'une vive intelligence, il savait bien que je m'en rendrais compte ! Et ces doutes, ces maudits doutes... Je veux bien retrouver une âme d'enfant pour accéder au royaume de Dieu, mais de là à m'abêtir, non merci ! Mes doutes témoignent de mon intelligence. »

Pris d'un accès de sincérité, Launay murmura telle une prière :

« D'accord, je ne ferai pas dévier la question sur des enjeux abstraits puisque ma véritable faute provient d'une faiblesse on ne saurait plus terrestre. Ces femmes avec qui je commets en pensée le péché de la chair ne sont-elles pas, elles aussi, créatures de Dieu ? Faudrait-il prétendre les trouver laides ? Je ne sais plus. »

« C'est de ma faute, de ma très grande faute... désolé, je n'y crois plus tellement. En quoi serais-je responsable de cette faiblesse ? Se reproche-t-on d'avoir soif ? »

« Quant aux bouddhistes, si Dieu avait voulu les voir embrasser la foi chrétienne, pourquoi leur avoir expédié le Bouddha bien avant Jésus ? Le Bouddha a réellement existé, non ? Si tout vient de Dieu, Bouddha a lui aussi été voulu par Dieu. Dans quel but si ce n'est d'induire ce peuple en erreur ? Je constate ton œuvre, mon Dieu. Tiens, je bois même à ta réussite. »

Launay cala la moitié de son verre. « Tu les as savamment maintenues dans l'ignorance, tes brebis du Laos. Dis-moi, mon Dieu, crois-tu sincèrement que ton Launay viendra à bout des ténèbres ? Comment veux-tu que j'aborde ces Orientaux ? Je ne peux même plus souhaiter autre chose qu'un succès de curiosité chez les Blancs. Non, je me reprends, Seigneur, je pourrais, il est vrai, obtenir aussi un succès de rire. »

Le prêtre partit d'un grand rire sans joie. Il se força à boire le reste du verre au plus vite. Il avait envie de se saouler. L'aventure laotienne tournait au vaudeville.

« Seize prêtres pour quarante conversions en quinze ans ! On n'a pourtant pas envoyé des chiffes molles, Seigneur. Des oblats, que voulais-tu de plus ? Des oblats dont plusieurs ont ruiné leur santé dans les camps japonais. Pour toi, ta gloire, ta plus grande gloire. Au fond, tu me fais pitié. Qui es-tu donc, l'assoiffé de gloire ? Quand deux milliards d'humains beugleront tes louanges pour l'éternité, tu en demanderas deux milliards de plus ? Savais-tu qu'après un seul million d'années, moi-même j'en aurais ras le bol de chanter tes louanges ? »

Le missionnaire sentait dans son cœur que Dieu lui pardonnerait ce genre d'écart. Le *laoun*, le dépaysement, la solitude formaient autant de circonstances atténuantes.

Il se resservit un nouveau verre.

« D'accord, d'accord, je dépasse les bornes. Ne t'en fais pas, mon Dieu, je connais mes manquements, mes faiblesses, mes fautes et tout le tralala! Avoue qu'avec moi, on peut discuter. Avec les autres, tu n'obtiendrais que des approbations flatteuses, de la flagornerie qui, au fond, ne te fait nullement plaisir. Des louanges? Si j'étais un père terrestre et que j'entendais mes enfants chanter mes louanges du matin au soir, je serais tellement écœuré du spectacle qu'au bout de trente minutes j'envisagerais déjà de leur botter les fesses. Mais avec toi, père céleste, les louanges n'en finiront pas de finir pour des siècles et des siècles. Toujours plus, jamais trop. La gloire de Dieu. Je trouve ça pathétique. »

« Je fais quoi dans ce cirque, hein? Je dis à nos braves Laotiens: Mes bons amis, connaissez-vous la meilleure? Votre Bouddha, c'est de la merde! Sa sagesse excrémentielle m'écœure. »

Le prêtre se remit à rire. Il baratinait avec l'accent traînard de l'ivrogne.

« Après la guerre, on a renvoyé les missionnaires les plus amochés chez eux. Oui, oui, oui, on les a renvoyés chez eux comme de vieux torchons. On les a remplacés par des hommes plus jeunes, des audacieux, des fonceurs. Des Martin Launay. À quoi bon, je te le demande. Ici, les Blancs te crachent à la figure, Seigneur. Ici, règnent les petits magouilleurs et les anticléricaux. Toi, tu veux des martyrs. Tu voudrais des chrétiens bien trempés dans l'huile bouillante avant d'aller se faire bouffer par les lions. Alors, apprends, Seigneur que les fornicateurs de ce coin de pays n'ont aucunement l'intention de me martyriser. Ni les Laotiens ni les Blancs ne veulent me faire rôtir.

Tu sauras, mon Dieu, que mes ennemis athées demeurent des gens charmants. Même Desmoulins fait figure de chic type. Insolent, je te l'accorde. Avoue cependant que cet agnostique a parfois raison. »

« Les bouddhistes ? Ils n'ont même pas le cœur de faire les fanatiques. C'est moi qui ai dû frapper le semi-chrétien du lot. Alors, je cabotine, Seigneur. Tiens, si tu veux tout savoir, c'est mon remords qui m'a conduit à lui confier une arme. Si Keng Chane veut me tuer, je tenterai de me faire croire que je meurs pour ma foi et ta gloire. Ta gloire, pathétique ! Mais voilà que je me répète. C'est le *laoun*, Seigneur, le *laoun*. »

« S'ils ne comptent pas me martyriser, ils veulent par contre m'envoyer leur saloperie de Nguoc. La voleuse d'âmes. Qu'est-ce que c'est que cette histoire ? Tu y crois, toi, à cette saleté ? Il paraît qu'elle aime le *laoun*, notre marie-salope. Nous avons donc elle et moi un point en commun, non ? Car figure-toi donc que je prends goût à cet alcool de riz. Il m'éclaircit le jugement. »

Comme il arrive souvent aux ivrognes, les pensées du prêtre s'embrouillèrent. Martin eut soudainement envie d'abréger son monologue.

— Seigneur, je suis au bout du rouleau, lança-t-il en s'imaginant parler directement à Dieu. Déjà au bout du rouleau avant même d'arriver à Muong Sé. Ils voulaient des hommes jeunes pétant de santé. Tu parles ! Regarde-le donc le jeune homme, c'est tout juste si ton serviteur ne dégobille pas son *laoun* sur le plancher. C'est honteux et pourtant ça m'amuse. Espérons que je me ressaisisse demain.

Les murs tombaient et retombaient vers Launay. Tout tournait dans le brouillard de l'alcool à commencer par la pauvre tête de ce missionnaire de *bacci*.

Incapable d'expliquer les raisons de sa conduite, Martin laissait son esprit flâner vers des questions philosophiques. L'homme ne se connaît pas lui-même. Il passe sa vie à se raconter des mensonges. L'homme ? Un mort en sursis partageant sa geôle avec quelques semblables. Le prêtre s'endormit en songeant à la nature de l'homme.

*   *   *

Il rêva à la France révolutionnaire qui avait tant blessé la foi d'Eugène de Mazenod, fondateur des Oblats. Dans son rêve, il vit cinq condamnés. Demain, le bourreau les conduira à l'échafaud. Ils seront tous guillotinés par ordre du Directoire que le grand tribun Babeuf avait réussi à faire trembler.

Babeuf éliminé, la Révolution en pantoufles voulait en finir avec les derniers extrémistes de la conjuration des Égaux. Dans sa geôle, un homme repensait à sa vie, à celle qu'il aurait s'il s'échappait de prison. Oh ! qu'il serait bon, comme il reprendrait le temps perdu. Le voici s'imaginant distribuer des aumônes. Il offrirait sa vie aux autres, fonderait de grandes œuvres charitables. Il convertirait les siens aux vertus de la philanthropie. Une vie de bonté s'il évitait la guillotine.

Le lendemain, la mort manqua son rendez-vous. C'était le 18 Brumaire. Napoléon venait tout juste de s'emparer du pouvoir. Les députés s'étaient jetés par les fenêtres afin d'échapper à sa colère. Dès qu'il se sentit le nouveau maître, Napoléon ordonna la fin des exécutions et vida les prisons.

Les années passèrent. Devenu empereur, Bonaparte tenta de retrouver son mort en sursis. Car il savait qu'un prisonnier s'était juré de se consacrer aux autres s'il échappait à la mort. Qu'avait-il fait de ses promesses ? Bonaparte voulait savoir, lui qui croyait que nous vivons et mourons entourés du merveilleux.

— Il n'a rien foutu, répondit Talleyrand. Il a vécu une petite vie sans envergure.

— Quelle chiennaille que tous ces conjurés ! lança Bonaparte avec bonne humeur. Un homme comme moi ne devrait pas se préoccuper du sort d'un million de couillons.

Talleyrand de répondre :

— Sire, ouvrons grandes les fenêtres afin que le peuple de Paris entendent vos paroles.

Napoléon ne put s'empêcher de juger Talleyrand :

— Vous êtes de la merde dans un bas de soie.

*　　*　　*

Launay s'éveilla en sentant les rayons du soleil contre son visage. Il avait rêvé une bonne partie de la nuit. Sitôt levé, le prêtre s'empressa de faire un peu d'ordre. Il ne fallait pas qu'on puisse deviner quel genre de soirée arrosée au *laoun* il avait passé.

Ses manquements lui tiraillaient bien un peu la conscience. Il se souciait pourtant plus des réactions des livreurs que de ses écarts de conduite. Parfois prompt à se culpabiliser, il éprouvait la plupart du temps une propension à se pardonner les manquements plus importants. Dans sa mentalité, une excuse plausible était presque aussi valable qu'un regret sincère.

Jusqu'à maintenant il avait rondement passé l'éponge sur ses péchés. Il sentait qu'à partir d'aujourd'hui, il devait se ressaisir et faire preuve de plus de rigueur.

Tout à l'heure, on viendrait lui remettre une livraison importante qu'il devait payer en argent comptant. L'essentiel consistait à faire bonne impression. Personne ne devait s'apercevoir de sa cuite au *laoun*.

La pièce à peu près propre, Launay se forçait à songer à l'expédition vers Muong Sé. Il lui faudrait emprunter un embranchement du Mékong filant vers le nord. Après deux jours de pirogue, il laisserait les embarcations à un petit poste de ravitaillement. Il prendrait alors les sentiers de brousse vers la mission de Muong Sé. Le voyage durerait sept jours dans des conditions que même un Laotien trouverait éprouvantes.

Ce voyage devait compenser pour tous les manquements du missionnaire. Serait-il à la hauteur de la situation ou finirait-il par pousser le cynisme au point de se vanter de son ignominie ? À défaut d'être à la hauteur, il serait, en bonne logique, à la bassesse. Le mot le fit sourire. À la bassesse, ça avait au moins le mérite de faire rire.

Partagé entre le désir de se ressaisir et la tentation de se laisser aller, le missionnaire entendit des bruits de pas s'avancer vers la porte. Il était presque midi, les livreurs arrivaient à l'heure.

CHAPITRE ONZE
Le secret de Xuyen

Embranchement nord du Mékong. Laos, 1948.

La visite des livreurs réconforta Martin. Il avait aimé échanger quelques propos anodins avec eux, reprenant ainsi contact avec sa propre humanité.

Les livreurs avaient laissé armes et provisions empilées pêle-mêle au presbytère. Le prêtre sourit au spectacle du contraste entre les armes et les crucifix. Il appela ensuite Xuyen, Keng Chane et Champa qui s'empressèrent d'acheminer les marchandises vers les pirogues.

Tout le village se réunit pour souhaiter bon voyage aux quatre broussards. Desmoulins vint serrer la main de Launay ; lui en bon agnostique, le prêtre l'acceptant en bon catholique. Joignant les mains en une prière muette, les bouddhistes leur souhaitèrent bonne route.

*   *   *

Les pirogues filaient maintenant plein nord. Le missionnaire voyageait avec Xuyen. Dans une autre pirogue, Keng Chane et Champa les devançaient d'une cinquantaine de mètres. Si Keng Chane portait ostensiblement la 30-30 à l'épaule, Champa avait refusé jusqu'au permis de port d'armes. Aux yeux de Launay, Champa incarnait la sagesse du Bouddha, la voie de la compassion, la route de l'Éveil. Le prêtre voyait dans la sérénité de Champa l'emprise du bouddhisme sur ce pays. Une emprise qu'aucun missionnaire n'avait encore pu desserrer.

Face aux bonzes, les chrétiens ne pouvaient rivaliser sur des questions dogmatiques ou théologiques. Curieusement, les bouddhistes ne s'intéressaient que très peu à Dieu. À leurs yeux, l'homme, et non Dieu, était digne de mention. Mieux encore, tous disaient que, malgré les apparences, le bouddhisme n'avait rien de bien compliqué. Mais, car il y avait un mais, pour comprendre les préceptes du Bouddha, il fallait les mettre en pratique. C'est ce qui embarrassait Launay. Juste à voir Champa, on devinait que sa sérénité provenait d'une mise en pratique des vérités nobles et non d'une adhésion intellectuelle à des dogmes. Pour Champa et les siens, le respect de la vie d'une marmotte comptait plus que la croyance en la résurrection.

Que pouvait faire un oblat contre cette mentalité ? À la moindre controverse, on lui demanderait pourquoi les chrétiens construisaient des abattoirs. N'était-ce pas immoral ? Si Martin répondait que les Laotiens eux-mêmes mangeaient de la viande, on lui répondrait qu'ils le faisaient pour survivre mais que personne n'avait envisagé de s'enrichir en massacrant des animaux.

L'élevage industriel destiné à faire consommer aux humains quatre fois plus de viande qu'il n'était nécessaire représentait un des grands péchés des chrétiens. Un péché d'autant plus grave qu'en Occident personne n'y voyait offense. Que faire ? Prétendre qu'une vie animale n'avait aucune valeur ? Sur quoi se baserait-on pour appuyer pareille affirmation. Sur la Bible qui rend l'homme maître de la Création ?

N'avez-vous pas remarqué, Launay, que dès le premier chapitre de ce livre incroyable on frissonne de dégoût devant l'attitude disgracieuse de tous les personnages, y compris Dieu ? Dites-nous, père chrétien, à quoi bon croire à deux, trois ou quatre personnes en Dieu, si par cupidité vous en arrivez à maltraiter les animaux ?

La main crispée sur la poignée du moteur hors-bord, le missionnaire réfléchissait aux moyens de percer les ténèbres de l'erreur. Inutile de parler de dogmes à ces gens. Inutile de leur faire croire que les chrétiens leur étaient moralement supérieurs. Un mensonge aussi flagrant se retournerait contre les vrais croyants.

Il fallait plutôt faire valoir que Jésus mettait un terme au cycle des réincarnations. Une telle affirmation sous-entendait la véracité des vies successives. S'il n'y avait jamais eu de réincarnations, comment Jésus pouvait-il y mettre un terme ?

Un chrétien pouvait-il mentir pour la bonne cause ? Était-il concevable que lui, Martin Launay, fasse semblant de croire, ou d'avoir déjà cru, en des réincarnations que Jésus avait fait cesser. Si vous croyez en Jésus, vous irez au paradis, sinon vous vous réincarnerez en paysans, en bandits ou en crapauds. La menace admettait implicitement la réalité des croyances hérétiques.

Lourde question. D'un autre côté, miser essentiellement sur la pratique de l'amour du prochain n'emporterait pas la décision. D'abord parce que les chrétiens n'étaient pas si bons qu'ils le prétendaient, ensuite parce que les bouddhistes faisaient preuve de compassion.

Peu importe son enseignement, Launay savait trop bien que la plupart des Occidentaux échoués au Laos ne croyaient plus en rien. Aux yeux de la population locale, c'était là une preuve du manque de consistance du christianisme.

Logiquement, avec un message comme celui de l'Évangile, les chrétiens devaient rayonner de lumière dans la nuit du bouddhisme. En pratique, la piètre lumière émanant de la chandelle de leur foi réussirait à peine à leurrer une luciole.

Tout à ses réflexions, Launay observait Xuyen. Au troisième jour du voyage, le jeune homme lui dévoilerait les raisons véritables de son séjour à Muong Sé. Il le ferait quand personne ne pourrait plus reculer.

*   *   *

L'embranchement du Mékong remontant vers le nord devenait plus étroit à mesure qu'il s'enfonçait dans la jungle. Launay prenait conscience que, sans points de repère, cette jungle pouvait à tout moment se refermer sur lui. Seul le fleuve empêchait le déclenchement du piège. Quand viendrait le temps de quitter la sécurité du sentier d'eau, le prêtre serait à la merci de ses guides.

En principe, les cartes qu'il traînait dans son havresac l'aideraient à s'orienter. Le missionnaire doutait toutefois de l'exactitude des relevés effectués entre le poste de ravitaillement et Muong Sé. Les pistes indiquées en noir contre les grandes étendues vertes risquaient de s'avérer de joyeuses approximations.

Les Laotiens n'accordaient d'ailleurs aucun crédit aux cartes. Xuyen et Keng Chane n'avaient même pas voulu y jeter un coup d'œil avant de partir. Champa, le sage, s'était contenté de sourire comme il le faisait en toute circonstance.

Plus tard dans l'après-midi, le prêtre désigna l'endroit de la halte. Les pirogues ralentirent, puis accostèrent sur la petite rive sablonneuse que Launay avait choisie. S'il voulait se reposer, il comptait également impressionner ses compagnons de voyage en jouant à l'explorateur blanc consultant carte et boussole.

Avec un sérieux emprunté, il plaça sa boussole à la droite du document et orienta la carte sur le nord magnétique.

— Nous sommes ici, fit-il en pointant l'index vers un point approximatif le long du tracé bleuté du fleuve.

— Nous sommes à près de trois heures de la butte de la Dent de dragon, répondit Keng Chane sans même regarder le prêtre.

— La Dent de dragon ? Pourrais-tu me l'indiquer sur la carte ?

—Les cartes des Blancs ne servent qu'aux Blancs.

—Toi, Xuyen, saurais-tu me l'indiquer?

—Non. Moi pas savoir lire ces documents.

—Alors comment pouvez-vous savoir où nous sommes? Et ne me parlez pas de Nguoc, cette fois.

Champa, qui n'avait pas encore dit un mot à Launay, intervint dans la conversation. Il s'exprimait en un assez bon français.

—Ne mêlez pas Nguoc à cette histoire. Nous connaissons ce pays, père. Ici, tout le monde navigue à vue. Les cartes ne servent à rien.

—Sur le fleuve, je veux bien admettre, mais quand nous serons dans la jungle…

—Nous suivrons les pistes en nous orientant à vue.

—Vous pourriez vous perdre.

—Je connais le trajet.

—J'imagine que toi aussi, Keng Chane, tu sais t'orienter à vue dans la brousse.

Le Birman lui fit une moue équivoque sous-entendant qu'il savait beaucoup de choses, peut-être trop.

—Et toi Xuyen?

—J'ai déjà fait ce trajet.

—Pourrais-tu t'y reconnaître?

En quelques phrases un peu maladroites, Xuyen fit comprendre au prêtre qu'il ne pouvait répondre sans dévoiler la raison de son voyage à Muong Sé. Il ne la dirait qu'au troisième jour.

Maintenant reposé, Launay, qui n'espérait plus rien retirer de ses compagnons, annonça qu'il était prêt à reprendre le fleuve. Keng Chane refusa net. Le jeune Birman ne voyait pas pourquoi Launay prendrait toutes les décisions. Il décida donc de retarder le départ de trente minutes, officiellement pour se dégourdir davantage les jambes. Tous comprirent qu'entre Launay et Keng Chane, ce serait à qui dirigerait l'expédition. Le prêtre se mordilla la lèvre. Sans la présence de ses guides, il saurait à peine retrouver son chemin en prenant le fleuve en sens inverse.

Voyant que le missionnaire perdait la face, Xuyen négocia avec le jeune Birman. Quand il ne parlait pas à Launay, il s'exprimait presque toujours en langue laotienne.

— Il vaudrait mieux partir tout de suite vers la butte de la Dent de dragon. Quinze minutes de repos me paraissent toutefois raisonnables, lança-t-il, conscient que personne ne pouvait s'objecter à ce compromis.

Champa sourit. Ses yeux qui reflétaient le calme du Bouddha donnèrent raison à Xuyen. L'honneur de chacun était sauf. Personne ne pouvait crier victoire ou se vanter d'avoir réussi à désarçonner l'autre.

— Quinze minutes, trancha Champa.

Il émanait de lui une force intérieure que tout chrétien aurait enviée aux bouddhistes. Mélange de sagesse et d'élévation spirituelle, cette force faisait comprendre à Champa qu'il existait du bien même chez les gens les plus mauvais. La sagesse consistait à aller chercher la part de bonté habitant les humains et peut-être même les bêtes fauves. Un geste apaisant de la main n'avait-il pas permis au Bouddha de faire reculer un tigre ?

L'expédition regagna la partie la plus large du fleuve. Pendant plus de deux heures, les voyageurs ne virent absolument personne. Aucun village, aucune barque allant en sens inverse, pas même une cabane de pêcheurs. À cet endroit du Laos, la densité de population chutait à moins de deux personnes au kilomètre carré. « Une terre oubliée, se dit Launay. Un asile de beauté sauvage demeuré intact dans un continent surpeuplé. »

Le soleil déclinait lentement. Le fleuve baignait dans une lumière ocrée qui donnait à l'eau la couleur du sable. Au loin, quelques silhouettes noires se détachaient contre le scintillement du Mékong.

Martin pointa le doigt vers ces formes.

— Des pêcheurs, répondit Xuyen. Je compte trois barques.

Le prêtre se laissait aller au romantisme de la rencontre quand il vit Keng Chane retirer le cran de sûreté de sa 30-30. La pirogue du Birman ralentit. Instinctivement, Launay diminua la vitesse de la sienne.

— Ce ne sont que des pêcheurs, fit-il inquiet des intentions de Keng Chane, qui venait de stopper complètement son moteur.

À son tour, le prêtre éteignit son hors-bord. Keng Chane saisit un aviron, recula adroitement vers la pirogue de Launay et prit place dans l'embarcation du prêtre. Xuyen se déplaça vers l'arrière afin de faciliter la manœuvre.

— Champa ira seul à leur rencontre, annonça Keng Chane.

— Vous craignez les pêcheurs ?

— Père, nous ne sommes plus à Houei Tha. Ici, la loi française cède le pas aux coutumes locales.

— Les poissons appartiennent à tous. Si ces gens veulent en prendre quelques-uns...

Assis à l'arrière de la seconde pirogue, Champa remit le moteur en marche. Il filait à mi-vitesse vers les embarcations qui se détachaient contre l'or du soleil.

— Laissez faire Champa, fit Keng Chane en s'adressant à Martin. D'ici à Muong Sé, toute rencontre est suspecte. Ce sont pourtant probablement des pêcheurs.

— Que craignez-vous ?

— Si vous saviez lire vos cartes, vous sauriez ce que je crains.

— Nous sommes encore loin de la frontière chinoise.

— Mais très près de la Birmanie.

— Des pêcheurs birmans, et alors ?

— Les Birmans trafiquent avec les Hmongs. Une rencontre avec les trafiquants d'opium reste toutefois un moindre mal. Les passeurs d'armes sont beaucoup plus dangereux.

— Curieux, je croyais ce peuple pacifiste.

— Les Laotiens, oui. Je vous parle des Birmans.

— Toi-même, Keng Chane...

— Je sais. Étant à demi birman, à demi Hmong, j'ai le profil idéal du trafiquant. Je n'ai pourtant jamais trempé dans la vente d'armes.

— Si ces gens étaient si dangereux, que pourrait y faire Champa ?

— Leur parler.

— Et tu crois que s'il leur parlait de la voie du Bouddha, ces bandits nous laisseraient passer en nous souhaitant bonne route !

— Oui.

— C'est complètement tordu ! Pourquoi des malfrats écouteraient-ils les paroles de ce faux moine ?

— Parce que même moi je les écouterais. Toute vie est souffrance, Martin Launay. Nos passions nous bloquent la voie. Chacune de nos mauvaises actions porte en elle les germes d'un mauvais karma.

— Va pour les honnêtes citoyens.

— Les bandits aussi possèdent du bien en eux. Personne ne tient à se préparer un mauvais karma. En cas d'hostilité manifeste, Champa demanderait à être tué le premier.

— D'où lui vient l'appétit de la mort ?

— De nulle part, père. Champa sait que même les âmes les plus dures hésiteraient à tuer un moine.

— Un ancien moine, rectifia le prêtre.

— Il a fait quatre ans de monastère. La voie de l'Éveil ne l'a jamais quitté. Il n'a pas à porter de tunique safran, on voit tout de suite son élévation. Même les Blancs s'en rendent compte.

— Champa agit par calcul. Il sait qu'il risque peu puisque ces gens n'oseront pas s'en prendre à lui.

— D'où vous vient cet appétit de dénigrer les nôtres ?

— N'es-tu pas chrétien, Keng Chane ? Que signifie « les nôtres » pour toi ?

Le jeune Birman détourna la tête. Il préférait répondre dans le secret de son cœur. En attendant, il regardait la pirogue avancer vers les pêcheurs. La sérénité de Champa ne pouvait cependant se deviner à plus de quinze mètres. Rien ne le protégeait d'un tir ennemi.

Rouge d'Orient

Keng Chane réfléchissait à ses propres croyances. Il appréciait la voie du Bouddha tout en se sachant extérieurement chrétien. Il mesurait la force spirituelle émanant du Laos. Il savait que si Champa le lui demandait, il renoncerait à sa vengeance : ce fameux discrédit total du père Launay qu'il avait promis à sa femme. Champa devait donc continuer d'ignorer les raisons qui poussaient Keng Chane à se rendre à Muong Sé. Quelles étaient celles de Champa, de Xuyen ? Le jeune Birman n'en savait rien. Les deux voyageurs s'étaient présentés d'eux-mêmes. Il n'avait pu les refuser.

*　　*　　*

Confiant, Champa ne pensait à rien. À la dernière minute, il improviserait quelques paroles rassurantes.

Les pêcheurs lui sourirent quand il vint à leur rencontre.

— Mes amis portent des armes, lança Champa. Ils ne veulent pas vous inquiéter. Je suis donc venu vous prévenir que nous passerons à droite, à distance respectable.

— Toi dont le visage reflète la sérénité, rétorqua un des hommes maniant un filet, avoue que tu es plutôt venu voir si nous étions de vrais pêcheurs.

— *Bo phen nam.*

— Qui te dit que nous ne sommes pas des bandits déguisés en pêcheurs du Mékong ?

— Personne.

— Nos barques contiennent peut-être des armes, non ?

— Possible.

— C'est pourquoi tes amis t'ont dit : « Va vers ces cochons de Birmans. Parle-leur du mauvais karma qu'ils se préparent en nous tirant dessus. »

— Mes amis ne m'ont rien dit de tel. J'y ai pensé tout seul.

— Au mauvais karma ou aux cochons de Birmans ? Tu as de la chance que nous soyons encore de bonne humeur.

— Nous ne savions pas que vous étiez Birmans.

— Tes amis envoient un homme sans armes espionner les bandits. Typiquement laotien.

— Qui a parlé d'espionner ?

— Tes yeux cherchent des armes dans le fond de nos barques. Rassure-toi, nous ne les utiliserons pas contre vous. Une dernière chose, homme au cœur pur, que diras-tu aux autres ?

— Que vous ne vouliez pas vous salir les mains du sang de quatre imbéciles circulant stupidement par ici.

— Allez, passez votre chemin et laissez-nous pêcher en paix.

Champa repartit persuadé qu'il avait rencontré d'inoffensifs pêcheurs. Il avait l'esprit léger et se permit de faire zigzaguer son embarcation afin de faire comprendre aux autres que tout s'était bien passé.

— Alors ? demanda Launay, heureux du retour de Champa.

— Faux problème. Évitons cependant de troubler leur tranquillité. Retirez d'abord les carabines de vos épaules. Déposez-les au fond des pirogues et passez loin à leur droite.

Le prêtre, imité par Xuyen et Keng Chane, obéit sans la moindre discussion. Dans les faits, Champa dirigeait maintenant l'expédition. Personne ne savait pourquoi il désirait se rendre à Muong Sé.

Ils passèrent loin à droite des pêcheurs, puis accélérèrent l'allure. À la toute fin de l'après-midi, les quatre voyageurs accostèrent à l'endroit surnommé la butte de la Dent de dragon.

*   *   *

Avec un peu d'imagination, l'aiguille rocheuse ressemblait vaguement à une canine. Les cartes ne l'indiquaient pas, car il y avait tant de collines abruptes sur la rive droite du fleuve que seul un œil averti réussirait à les distinguer.

— Nous coucherons ici, annonça Champa qui venait de choisir le meilleur endroit pour dresser une tente.

Launay et Xuyen s'activaient aux préparatifs de cette nuit qu'ils passeraient à la lisière de la jungle. Seul Keng Chane semblait paresser.

— Je monte la garde, fit-il quand le prêtre l'interrogea du regard. Tant que le feu du campement ne crachera pas ses flammes vers le ciel, le tigre nous verra comme autant de proies.

— Tu vois un tigre?

— On ne le voit que rarement. Le mangeur d'hommes ne se laisse apercevoir que quand l'attaque est imminente.

— Je n'entends rien, fit Martin un peu inquiet.

— Un bon prédateur ne grogne pas sans raison. Il aime la chasse silencieuse. Si le tigre vient vers nous, je n'aurai que deux ou trois secondes pour l'abattre.

— Es-tu bon tireur?

— Vous devriez monter la tente au lieu de me distraire par vos bavardages.

Le missionnaire en avait plus qu'assez de l'attitude irrespectueuse de ce demi-Birman à moitié chrétien. Mécontent de la tournure des événements, il s'adressa à Xuyen :

— Keng Chane espère-t-il nous faire peur avec ses histoires de tigres?

— Je ne sais pas. Les tigres fuient l'homme. Mais la faim les rend plus audacieux.

Xuyen, qui parlait habituellement un français plus approximatif, avait cette fois trouvé les mots justes.

— L'avenir sourit aux audacieux! Si ton tigre se pointe le museau, je lui dirai que nous sommes de redoutables *phi-phops*. Tu verras, il filera doux, ton tigre.

— Très mauvaise malchance de se prétendre *phi-phops*. Il ne faut pas provoquer les esprits.

— Aujourd'hui, tu m'as aidé à sauver la face devant Keng Chane. Tu as fait preuve de bravoure, Xuyen, mais ce soir tu as peur des esprits. Je comprendrais que tu craignes les tigres. J'en ai peur moi aussi. Je te le dis sans aucune gêne. Mais pourquoi craindre les fantômes ?

Xuyen garda le silence. Il préférait ne pas avoir à répondre à ce Blanc. En même temps, il avait envie de se confier à lui. Quand son regard croisa celui de Champa, Xuyen se referma sur lui-même.

— Père Launay, fit Champa avec sa douceur coutumière.

— Oui ?

— Le monde n'est pas comme nous le souhaitons. La première sagesse consiste à l'accepter tel qu'il est.

— Avec ses fantômes et ses *phis* ?

— N'avez-vous pas le diable et ses démons ?

— Ce n'est pas la même…

Champa l'interrompit d'un battement de cil :

— À chacun ses peurs, fit-il avec une intonation vaguement ironique. Dans ce pays, la crainte des *phis* l'emporte sur celle de vos démons.

Martin laissa tomber. À quoi bon discuter ? Le Laos que les Oblats avaient jadis cru propice à la conversion se fermait de lui-même à la Bonne Nouvelle.

*   *   *

La nuit s'était étendue sur les rives du fleuve. Les flammes du feu de camp montaient maintenant en crépitant vers le ciel. Accompagnée de centaines d'étincelles zigzaguant vers les étoiles, chaque flamme s'élevait dans un mouvement saccadé.

Ce feu qui faisait peur aux bêtes devait se remarquer de très loin. Si les guides du missionnaire avaient voulu dissimuler leur présence en ces lieux, ils s'y étaient pris de la plus mauvaise façon.

—Aucun ennemi ne viendra, annonça Champa comme s'il avait entendu les craintes du voyageur blanc.

—Comment peux-tu en être si certain?

—Les Laotiens craignent tant les *phis* qu'ils ne circulent pas de nuit.

—Et vous alors?

—Nous ne circulons pas puisque nous campons. Personne ne s'aventurera loin de la tente.

—Admettons.

—Ne vous méprenez pas sur nous. Vous avez cru que notre peuple qui aime la paix et le bonheur se convertirait au christianisme. Pourtant, ce que les enfants apprennent ici n'est ni la bonté, ni le Bouddha, ni le bonheur. Le premier sentiment à visiter l'âme du jeune Laotien est la crainte. Cela vous surprend-il?

—Oui, répondit Launay.

—Et parmi toutes les craintes, celle des esprits le marque pour toujours.

—Approuves-tu cette éducation?

—Le monde n'est pas comme nous souhaiterions qu'il soit.

—Dis-moi, Champa, pourquoi veux-tu aller à Muong Sé?

—Je veux voir les paysans qui maltraitent les animaux. Je dois aussi parler à Li-Tchen.

—Le roitelet des magouilles! Qu'as-tu à voir avec cette charogne?

—Il laisse les chamans arracher le cœur des bêtes. Et toi, que lui veux-tu ?

—Rien. Je vais à la rencontre des chrétiens de notre mission, répondit le prêtre mécontent de l'attitude soudainement familière de Champa.

—Nous ferions mieux de dormir et refaire nos forces.

Le prêtre ignorait les motifs de ses compagnons. Il voyageait avec des gens dont il ne connaissait presque rien. Pourtant, la présence de ses guides le rassurait.

Il s'endormit d'un sommeil sans rêve si profond qu'il ne s'aperçut pas que les trois autres voyageurs s'étaient levés à tour de rôle pour entretenir le feu jusqu'aux lueurs de l'aube.

*   *   *

La nouvelle journée s'annonçait meilleure. Ce soir, au terme d'une longue course en pirogue, ils atteindraient le dernier poste de ravitaillement avant d'emprunter les pistes de brousse.

Assis à l'arrière de sa pirogue, Launay donnait plein gaz. Il cria afin de se faire comprendre par Xuyen :

—Tu dois me révéler tes raisons aujourd'hui.

—Ce soir, rétorqua le Laotien.

—Va pour ce soir.

Martin avait retrouvé sa bonne humeur, laissant avec plaisir la lumière du soleil dissiper ses doutes. Il se sentait prêtre. Il se sentait comme un vrai missionnaire allant planter une croix dans la noirceur des superstitions. Tant pis pour les dangers, la crainte ne saurait arrêter un oblat. Si les Laotiens voulaient vivre dès l'enfance dans la terreur des esprits, lui, le soldat du Christ, allait leur montrer comment se défaire l'âme des peurs chimériques.

Avant d'ouvrir les cœurs à la Bonne Nouvelle, il faudrait d'abord s'occuper des maux terrestres. Le missionnaire rencontrerait sûrement des malades à Muong Sé, de pauvres hères livrés aux superstitions des sorciers. Ces êtres meurtris en proie au fatalisme du Bouddha répéteraient *ad nauseam* que toute vie est souffrance.

« C'est que vous ne connaissez pas les oblats, se dit Launay. La souffrance s'accepte mieux quand tous logent à la même enseigne. Mais qu'arrive le sorcier blanc avec ses antibiotiques et on verra bien si l'acceptation de vos maux résistera au monde moderne. »

« Qui dit guérison dit aussi danger, compléta le père en son âme. Je doute fort que vos chamans, sirènes et sorciers apprécient ma compétition. Je remets donc ma vie entre les mains du Seigneur, qu'il fasse ce qu'il veut de moi. Si j'ai par trop péché, j'accepte le sort qui m'est réservé. »

Martin ne pouvait se défaire de ses stéréotypes. À ses yeux, il y avait du Fu Manchu dans tout Oriental. Malgré la douceur apparente de ce peuple, il régnait quelque part au Laos un potentat fourbe et cruel. Ce Li-Tchen du Nord sauvage n'aimait sûrement pas les chrétiens. Un magouilleur de sa trempe se méfiait de l'influence des Blancs, surtout de celle des missionnaires. Li-Tchen n'avait-il pas malmené le père Maizeret?

Le reste de la journée passa très vite. Les voyageurs ne firent que trois haltes avant d'arriver au dernier poste de ravitaillement où ils remiseraient les pirogues avant d'emprunter les pistes de la jungle.

*   *   *

Deux familles de paysans s'occupaient du poste. Martin s'était attendu à y retrouver un village de pêcheurs. Il n'y avait que trois maisons sur pilotis, la plus grande servait d'entrepôt. En cet endroit du Laos, toutes les marchandises devaient être acheminées par le fleuve.

Comme le voulait la coutume, les voyageurs furent logés dans les familles de ce minuscule village. Le prêtre se fit un devoir de dédommager ses hôtes, qui les recevaient au *padek* et au riz gluant. Il était heureux d'avoir un toit pour la nuit.

Xuyen et lui s'installèrent sur les lattes réservées aux voyageurs. Peu bavards, leurs hôtes se contentèrent de murmurer quelques questions polies. La chose surprit le missionnaire, car tous savaient qu'à partir d'ici, l'expédition couperait par la brousse. Leurs hôtes auraient normalement dû se montrer plus curieux.

— N'avais-tu pas quelque chose à me dire, Xuyen? demanda Martin à son compagnon de voyage quand les hôtes partirent dormir. Sois sans crainte, Champa et Keng Chane ne peuvent nous entendre, ils dorment dans l'autre maison.

Xuyen approuva d'un mouvement de tête.

— Pourquoi veux-tu tant aller à Muong Sé ?

— Comme toi, père, je cherche une personne disparue.

Dans un français hésitant, Xuyen exposa son histoire en éprouvant des difficultés à aller droit au but.

— Il y a deux ans, commença-t-il, conscient de prendre un détour, moi partir de Luang Prabang pour Houei Tha. J'ai des cousins en affaires avec moi.

— Des affaires louches ?

— Oui, concéda Xuyen. À Houei Tha, poursuivit-il presque en murmurant, j'ai rencontré Yunan, ma trente-troisième âme.

Il soupira en prononçant le nom de celle qu'il aimait. Xuyen expliquait à Martin que Yunan était une des chrétiennes du père Maizeret et qu'il aurait fallu qu'il se convertisse afin de l'épouser.

— Qui donc exigeait la conversion, demanda le prêtre. La jeune femme, sa famille ou le père Maizeret ?

— La famille.

— Il y a donc de vrais Laotiens chrétiens.

— Quelques-uns.

— Qu'est-il arrivé ?

À travers les phrases parfois maladroites du jeune Laotien, Launay comprit que les parents de Yunan tenaient à ce que celle-ci épouse un chrétien. Découragé, Xuyen quitta Houei Tha pour retourner à Luang Prabang. Là-bas, il se mit à réfléchir en se disant que la famille qui crachait sur la voie du Bouddha ne méritait plus son respect. C'est pourquoi, faisant fi des convenances, il revint à Houei Tha, non pour se convertir mais plutôt pour enlever la fille. Devant Launay, Xuyen précisa : « Si elle le voulait bien. »

—Si elle le voulait bien ! Tu as le tour de bien me présenter ton histoire.

Malgré la bonne humeur apparente du prêtre, le jeune Laotien n'avait pas le coeur à rire. Il expliqua à Martin qu'une fois revenu à Houei Tha, il vit que Yunan n'y était plus. Ni elle ni sa famille. Personne ne put le renseigner sur ces disparitions. Même ses cousins ne savaient rien. Le jeune homme se résolut à retourner à Luang Prabang où il apprit que Yunan avait, paraît-il, suivi le père Maizeret à Muong Sé.

—J'ignore si c'est vrai. Je veux savoir, alors j'y vais avec vous.

—Que comptes-tu faire si tu la retrouves ?

—L'épouser.

Et Xuyen demanda au père d'avoir assez de charité chrétienne pour laisser Yunan choisir d'elle-même. Si la jeune fille voulait revenir à Luang Prabang avec Xuyen comme époux, Launay devait se charger de convaincre la famille de ne plus exiger sa conversion.

—Toute une demande ! Je vais peut-être te surprendre, Xuyen, mais je me doutais un peu qu'il y avait une femme derrière ce voyage. J'aime mieux qu'il s'agisse d'une histoire d'amour que d'une affaire de drogue.

—Au Laos, seuls les Hmongs et les Blancs vendent l'opium.

—À qui le vendent-ils ?

—Aux Birmans. Eux passer la drogue en Chine, au Tonkin, en Annam, aux Indes et au Siam.

—Beau commerce.

—Cochons de Birmans! Eux, très mauvais bouddhistes.

—Et pour le marché intérieur?

—Les Hmongs vendent aux Laotiens.

—Pourquoi les laissez-vous faire?

—Droit ancestral des Hmongs. Même la France leur achète l'opium.

—Je sais. Desmoulins m'en a parlé. Dis-moi, Xuyen, Muong Sé est-elle la plaque tournante du trafic?

—Oui. Tout le Nord sauvage vit de l'opium.

—Le vrai dieu de ce royaume! Vous aviez le plus beau pays d'Orient. Vous en avez fait un repaire de trafiquants. Les bouddhistes approuvent-ils le recours à l'opium?

—Non.

Xuyen fit valoir que dans la vie, chacun avait ses faiblesses. Au Laos, l'opium guérissait tous les maux, c'est pourquoi on le trouvait un peu partout. Si Launay le voulait, il pourrait en acheter ici-même, à ce poste de ravitaillement.

—Beau commerce! s'exclama le missionnaire.

—Ne juge pas, père.

Xuyen voulait savoir si Martin exigerait, lui aussi, sa conversion.

—Logiquement, les catholiques se marient entre eux. D'un autre côté, je n'ai pas envie d'obtenir de fausses conversions. Je ne peux te répondre sans d'abord juger de la situation.

—Mais la fille est chrétienne de force!

—Vraiment?

—Ses parents lui ont imposé leurs croyances.

—C'est ce que nous verrons. Si tu dis vrai,
j'en fais mon affaire.

Le jeune Laotien lui fit comprendre qu'on
n'avait jamais encore vu un missionnaire prêt
à aller « déconvertir » ses rares chrétiens.

—Je jugerai de la situation en toute honnêteté. Je te donne ma parole.

Et Xuyen pensa : « Une parole de Blanc.
Fais attention, prêtre étranger. Je vois dans
le jeu de Keng Chane. Ce faux chrétien rongé
par la rage a planifié ta chute et peut-être
même ta mort. Je suis le seul obstacle entre
ta tête et le billot. J'allais à Muong Sé pour
retrouver Yunan, mais aussi pour te protéger.
J'avais confiance en toi, père Martin. Si tu te
ranges du mauvais côté, je t'abandonne à tes
ennemis. Même Champa n'y pourra rien. Où
crois-tu donc aller, dans une gentille mission
grouillante de fidèles? Imbécile, là où nous
allons, même le Bouddha ne règne plus sur les
cœurs. Le Nord sauvage appartient à l'opium.
Attends-toi à tout. D'abord à Nguoc, la voleuse
d'âmes, qui te réserve la surprise de ta vie! »

CHAPITRE DOUZE
Les broussards

Nord du Laos, 1948.

Launay et ses compagnons avaient quitté leurs hôtes peu après le lever du soleil. Ils marchaient maintenant depuis plus de trois heures dans cette jungle si dense qu'elle ne permettait qu'à quelques rayons du soleil de se rendre au sol. Il régnait une pénombre angoissante rendant plausible la présence des *phis* en ces lieux.

À chaque pas du sentier, chacun prenait conscience de s'enfoncer dans un monde à part. Sur papier, cet inquiétant Laos relevait toujours de l'Indochine française. En réalité, la jungle tropicale rendait caduque la loi des hommes.

Keng Chane ouvrait la marche comme s'il connaissait à fond chaque piste de cette jungle. Il devait parfois recourir à sa machette pour dégager le sentier que seul un œil averti pouvait reconnaître. Champa suivait de cinq mètres, puis Launay, et enfin Xuyen.

Lourdement chargés, les broussards souffraient de la chaleur humide. Martin enviait les vêtements légers de ses compagnons. Au moins ces trois-là avaient eu le bon sens de porter quelque chose de pratique.

La longue soutane du prêtre, qui impressionnait tant en ville, devenait ici le plus ridicule des accoutrements. Avec son inévitable chapeau colonial complétant à merveille ce costume si peu adapté à l'enfer vert, le missionnaire ressemblait à un aventurier de salon.

Keng Chane marchait toujours, apparemment sans autre souci que celui de mettre un pied devant l'autre. Même s'il gardait l'œil ouvert, il n'avait pas encore aperçu de fauves, ni même un herbivore. Les rencontres viendraient bien assez tôt. L'essentiel consistait à ne pas perdre la piste. La belle assurance du début faisait place à l'inquiétude.

Le jeune Birman se garda de partager ses incertitudes. Quelques instants plus tard, il vit un ruban rouge enroulé autour d'un grand tronc. Il était donc dans la bonne direction, un *phi* s'était amusé à semer un doute dans son esprit.

— Ce ruban nous prévient d'un obstacle, lança Keng Chane. Nous devons nous arrêter.

Quelques pas plus loin, le sentier s'ouvrait sur une rivière qui devait faire près de huit mètres de large. Il s'agissait d'une rivière étrangement calme, aux eaux presque stagnantes.

— Ces endroits sont les plus dangereux, fit Xuyen en rejoignant les autres.

— À cause des caïmans ? demanda Launay.

— Les sangsues. Je déteste ces bestioles, répondit Xuyen déjà malade de dégoût.

— Il n'y a pas de pont de singe, constata le prêtre.

— Nous devons traverser à gué.

De sa machette, Keng Chane coupa une longue branche qui lui servirait de bâton. Il traverserait le premier avec tout son bagage.

Il ne souhaitait prendre aucune pause de préparation psychologique. Il voulait que tous traversent au plus vite cette maudite étendue d'eau stagnante. Les broussards ne feraient halte que de l'autre côté. Seule précaution : Xuyen et Launay couvriraient Keng Chane de leurs armes en cas de mauvaise rencontre.

* * *

Telle une caresse dissimulant ses menaces, l'eau enveloppait Keng Chane jusqu'à la taille. Chacun des mouvements du jeune Birman provoquait de légères vibrations que capteraient les caïmans. Deux autres broussards prêts à faire feu gardaient l'œil ouvert. Mais que valaient Launay et Xuyen comme tireurs ? S'ils étaient vraiment bons, qui sait, il leur prendrait peut-être la fantaisie de manquer le saurien de quelques centimètres. D'un autre côté, s'ils étaient moches, leur prétendue protection ne vaudrait rien.

Tout à ses pensées, Keng Chane avait atteint la moitié de la largeur de la rivière. Ses yeux cherchaient le moindre mouvement à la surface de l'eau tandis que sa main droite, solidement agrippée au bâton qu'il avait taillé, sondait à petits coups répétés le fond de la rivière. En cas de danger, aurait-il le temps d'épauler sa 30-30 et de faire feu ? Il ne le savait pas.

À cet instant précis, il regrettait de s'être embarqué dans cette aventure. La promesse faite à son épouse lui paraissait ignoble. Une pensée ni chrétienne ni bouddhiste habitait son cœur depuis que le prêtre avait porté la main sur lui. Il avait honte de son goût de vengeance. Et pourtant, il savait que dès que le danger serait passé, il se remettrait à échafauder des plans destinés à perdre Launay.

Une sensation d'effleurement à sa cuisse droite le fit grimacer de dégoût. Les sangsues devaient s'en donner à cœur joie dans ces eaux fangeuses. Il fallait rester calme et, surtout, ne pas tenter de les enlever maintenant. Surtout pas. Combien en avait-il après lui ? Déjà une dizaine ?

« Avance Keng Chane, avance en tremblant, avance malade de dégoût, mais place un pied devant l'autre. Pas de précipitation. Elles sont peut-être quinze après toi, tu en auras jusqu'à vingt une fois rendu de l'autre côté. Pas de précipitation. Avance sans penser à rien. Tu t'occuperas plus tard de ces saletés. »

Le jeune Birman arriva enfin sur l'autre rive. Un bref coup d'œil à sa jambe lui fit voir quelques-unes de ces longues saletés brunâtres solidement accrochées à lui. « Saloperies », dit-il à mi-voix.

Il avait un choix à faire. Ou il faisait signe à Champa de traverser, ou il entreprenait de se débarrasser immédiatement de ces maudits parasites. Tout ce qui était animal en lui le poussait à allumer une cigarette afin de brûler consciencieusement chacune de ces horribles bestioles. Il ne pouvait que très difficilement supporter l'idée d'avoir à attendre encore. D'un autre côté, si chaque broussard prenait trop de temps à s'occuper des sangsues, l'expédition demeurerait exposée aux dangers de la rivière. Keng Chane n'avait pas encore vu de caïmans. Il savait pourtant qu'ils finiraient par remarquer la présence humaine près des eaux.

Surmontant son écœurement, il agita le bras pour faire signe à Champa de traverser. Keng Chane devait lutter de toute la force de sa volonté pour ne pas arracher les saloperies qui se gorgeaient de son sang. Il savait par expérience que, si on enlevait brusquement les sangsues, les cicatrices prendraient long-temps à guérir. Il fallait les faire lâcher en dou-ceur en leur écrasant un tison sur la tête. Une tâche ignoble qui, plus d'une fois dans sa vie, l'avait fait frissonner de nausée.

Keng Chane avait retiré le cran de sûreté de son arme. Il couvrait Champa à partir de la rive droite, alors que, tous leurs sens alarmés à l'idée de voir des caïmans, Launay et Xuyen épaulaient leur carabine depuis la rive oppo-sée. Champa traversa d'un pas sûr. Il ne tenait aucun compte des dangers des eaux stagnan-tes. «Toute vie est souffrance, le monde n'est pas comme nous le souhaiterions», semblait-il philosopher en sentant à son tour le contact des parasites contre ses cuisses.

Vint alors le tour de Launay. Avec sa soutane qui lui descendait aux chevilles, le missionnaire se croyait peut-être à l'abri des sangsues. Ces bestioles filiformes s'insi-nuaient pourtant partout. Les plus petits de ces invertébrés réussissaient même à se ren-dre aux pieds en passant par les œillets des souliers.

Au milieu de la rivière, Launay fit un faux pas et tomba tête première dans l'eau. Ces quelques secondes suffirent aux sangsues pour s'accrocher à sa poitrine en passant par les ouvertures de sa soutane. Xuyen fut le dernier à entreprendre la traversée. Mieux valait qu'il passe après les autres, car Xuyen ne pouvait tolérer la présence de ces maudits parasites.

Quand les quatre broussards se retrouvèrent du même côté de la rivière, Keng Chane, inquiet de la présence possible de caïmans, conduisit le groupe à une centaine de mètres plus loin. Les broussards firent enfin halte. Xuyen allumait un feu quand Keng Chane demanda à tous de retirer leurs vêtements.

— Quoi ? fit Launay plus prude que ses compagnons de voyage.

— Retirez tous vos vêtements et allumez chacun une cigarette. Il faut brûler la tête des sangsues.

Les trois Asiatiques se dévêtirent sans hésitation. Seul le missionnaire éprouvait de la gêne à retirer ses vêtements devant les autres.

— Vous n'avez pas le choix, fit Keng Chane. Vous avez sûrement deux fois plus de sangsues que nous. Demandez à Xuyen de brûler celles accrochées à votre dos.

— Allons ! Elles n'ont pas pu se glisser sous ma camisole.

— Elles ont sûrement fait leur chemin sous votre camisole. Faites comme Keng Chane vous demande, intervint Champa avec sa sérénité coutumière. Je n'aime pas nuire aux êtres vivants, mais dans ce cas, je crains que nous n'ayons guère le choix.

— Il paraît que tu te laisserais tuer par le tigre plutôt que de l'abattre. Comment peux-tu t'en prendre aux sangsues ?

Champa sourit. Il n'avait pas à répondre tant ses yeux parlaient d'eux-mêmes. « Les mammifères nous ressemblent, disaient ses yeux, ils ont des âmes proches des nôtres. » En même temps, l'ancien bonze songeait aux sacrifices des buffles que les villageois pratiquaient afin d'apaiser les *phis*. Sa formation bouddhiste le conduisait à désapprouver ces rites cruels sévissant dans de trop nombreuses communes du Laos. Il avait honte car, devant le missionnaire blanc, Champa aurait voulu que la supériorité morale du bouddhisme sur le christianisme s'impose d'elle-même.

Champa se revit à sept ans quand, pour la première fois, il avait assisté au rituel des sacrifices aux *phis*. Quand le buffle s'était fait arracher le cœur, le jeune garçon avait ressenti de la compassion pour l'animal. La bête avait tremblé de tous ses membres, hurlant à la mort, tentant sans succès de se défaire des liens qui lui attachaient les pattes. Imperturbable, le maître de la cérémonie avait enfoncé son couteau dans le ventre du buffle. Traumatisé, Champa s'était juré de respecter la vie animale. Aujourd'hui, il brûlait ses sangsues sans ressentir de compassion.

Les quatre broussards s'appliquaient à faire lâcher l'emprise des ignobles parasites. Ils tiraient sur leur cigarette afin de maintenir le feu vif, puis touchaient les sales créatures avec le tison. Dès qu'une sangsue lâchait prise, ils recommençaient avec la suivante.

Au début, Launay avait gardé son caleçon. Il finit par le retirer tant le spectacle des invertébrés accrochés à son corps l'inquiétait. Chaque broussard grilla trois cigarettes avant d'en finir avec ces saletés. Xuyen surmontait à peine ses nausées. Seul Champa passa l'épreuve sans grimacer.

Le danger rapprochait les hommes. Déjà, Keng Chane voyait fondre son ressentiment. Comme le voyage durerait encore sept jours dans l'enfer de la jungle, chacun devait compter sur les autres. À force de côtoyer les mêmes difficultés, ils finiraient par devenir amis. La chose inquiétait le jeune Birman. Pouvait-il revenir devant son épouse en se déclarant en bons termes avec ce Blanc qui l'avait giflé ?

* * *

À la fin de la journée, fourbus par leurs longues heures de marche, les quatre membres de l'expédition s'arrêtèrent à l'orée d'une des rares clairières de la jungle. Ils montèrent la tente, installèrent les moustiquaires et firent un feu avant la tombée de la nuit.

L'obscurité vient vite dans la jungle. On croit disposer de deux bonnes heures de lumière quand, au bout de trente minutes, on ne distingue plus rien à quelques mètres. On jurerait qu'une nappe de ténèbres s'est étendue sur la forêt.

Le feu a beau rassurer, personne ne se sent à l'abri des *phis*. La raison ne veut pas y croire, on devine pourtant leur présence. Tant qu'il avait écumé le Mékong, Launay avait ridiculisé les croyances locales. Cette nuit, il tâterait son crucifix pour se protéger des esprits. C'était irrationnel, peut-être même proche du blasphème, mais s'il interrogeait son cœur, Martin savait que cette nuit il craignait les *phis*. Il imaginait des démons tapis dans l'obscurité. Ses craintes le rapprochaient dangereusement des pensées hérétiques. Un chrétien, à plus forte raison un missionnaire, n'avait pas le droit de croire aux *phis*.

Launay se disait que sa peur était celle qu'un homme sensé ressentait devant les phénomènes angoissants de la vie. Croire aux *phis* quand la présence des autres nous réconforte plus que le crucifix n'avait rien de si abominable. Il en demanda vaguement pardon à Dieu et tâcha de dormir en attendant la lumière du jour qui chasserait les démons.

* * *

La nuit était maintenant complètement descendue sur cette contrée inhospitalière. Les trois Asiatiques dormaient sans crainte apparente. Seul le missionnaire éprouvait des difficultés à trouver le sommeil. Il demandait à Dieu, non il le suppliait, de l'aider à se ressaisir. Jusqu'à maintenant, il s'avérait indigne de la soutane qu'il portait. Demain, il en faisait serment, il laisserait de côté toute remise en question intellectuelle pour se consacrer uniquement à l'amour du prochain.

Les sangsues, les caïmans, la maladie, la mort et la souffrance ne s'expliquaient pas. Ces réalités faisaient partie du mystère du Mal. Et ce mystère, qu'il soit toléré, voulu ou orchestré par Dieu, demeurerait à jamais en dehors de la portée de l'intelligence humaine. Seuls l'amour, la charité, le don de soi pouvaient dissiper l'angoisse d'un chrétien scandalisé par la coexistence du Mal et d'un Dieu de bonté.

La voie du cœur libère, celle de la raison emprisonne l'âme dans le doute. Launay souffrait d'en arriver à cette conclusion car il aimait la raison. Il prit pourtant la ferme résolution d'ouvrir son cœur en faisant taire sa raison.

Apaisé par sa décision d'agir au lieu de se questionner, le prêtre réussit enfin à s'endormir. Il avait besoin d'un sommeil réparateur, sans rêves, sans tiraillements du subconscient.

*   *   *

L'aurore chassa les ténèbres. Launay comprit qu'il avait obtenu ce sommeil auquel il aspirait tant. De jour, il ne croyait plus aux *phis*. Il rejetait même l'idée qu'il en avait déjà eu peur.

— Servirais-tu la messe, Keng Chane ? demanda-t-il en espérant que personne n'accélère les préparatifs du départ.

— Avec plaisir, répondit le jeune Birman soucieux de cacher son jeu sous une bonne humeur de façade.

Champa et Xuyen s'occupèrent des préparatifs en laissant les deux chrétiens à leur messe. La cérémonie était incongrue : deux chrétiens en pleine jungle plus occupés à leurs rites qu'aux nécessités de la vie en brousse.

Xuyen avait envie de mettre un terme à ces singeries quand Champa l'arrêta du regard. « Respecte leurs coutumes si tu veux qu'ils respectent les tiennes, semblait dire Champa. Si Keng Chane veut se détourner du Bouddha, laisse-le à son erreur. Tôt ou tard, il reviendra à la voie de l'Éveil. »

Xuyen lança à son tour un coup d'œil à Champa signifiant : « De toute façon, le bâtard birman ne croit pas à grand-chose. » Par le sourire, Champa répondit : « Je le sais trop bien. »

Aucune parole n'avait été prononcée. Quelques secondes à se regarder dans les yeux et tout avait été évalué, commenté, jugé. Xuyen et Champa se comprenaient d'un sourire. Ils étaient heureux que cette excursion leur permette de se connaître.

＊　　＊　　＊

Trois nouvelles journées passèrent à parcourir les dangers de la brousse. Au milieu de l'après-midi du troisième jour, Champa, qui ouvrait maintenant la marche, fit un signe de la main.

— Écoutez, dit-il. On vient.

Launay, qui n'entendait rien, vit Keng Chane et Xuyen se préparer à faire feu. Craignant de rencontrer un fauve, le prêtre retira à son tour le cran de sûreté de sa 30-30.

— Ne tirez pas, chuchota Champa, ce ne sont pas des bêtes.

Tous entendirent alors un bruit de cymbales.

— Ils nous indiquent leur présence, conclut Champa. S'ils voulaient nous tuer, ils ne s'annonceraient pas ainsi.

— Peut-être, rétorqua Keng Chane. Je m'inquiète pourtant qu'ils nous aient vus les premiers.

Les cymbales résonnèrent à nouveau. Manifestement, ceux qui s'avançaient voulaient qu'on les entende arriver. Launay vit une branche tomber, puis une machette s'abattre contre un nœud de lianes.

Quelques instants plus tard, les trois voyageurs aux cymbales saluèrent Launay. Comme ils ne parlaient pas un mot de français, Champa traduisit à l'intention du missionnaire :

— Ils ont fait un long trajet pour vous rencontrer. Ils veulent que le sorcier blanc examine la gorge d'un des voyageurs.

— Je ne suis pas médecin.

— Ils savent que vous avez des antibiotiques.

— Vraiment ? Alors, pourrais-tu me faire le plaisir de demander à ces visiteurs comment ils savent ce que je transporte dans mes bagages.

Keng Chane interrompit le prêtre en répondant à la place de Champa :

— Les agents de Li-Tchen vous espionnent depuis votre arrivée à Luang Prabang. À Muong Sé, ils savent tout sur vous. Li-Tchen connaît vos allées et venues, vos points forts, vos faiblesses. Mais Li-Tchen manque parfois de retenue. Alors par vantardise, il a probablement fait savoir à la ronde que ses services de renseignements lui avaient fait part que vous transportiez des médicaments. Les nouvelles se répandant vite, ces trois voyageurs ont décidé de venir à votre rencontre.

— Ils auraient pu attendre notre arrivée à Muong Sé.

— S'ils craignent que Li-Tchen vous confisque vos antibiotiques, ils ont intérêt à vous rencontrer dès maintenant!

— Tu sais ça, toi?

— Oui, répondit Keng Chane de façon énigmatique.

— Alors dis-leur que je ne suis pas médecin, mais que je consens à examiner le malade.

Les connaissances médicales de Launay équivalaient à celles d'un infirmier de brousse. À cette époque, la pénicilline était le plus efficace des médicaments. Aucune souche microbienne ne lui résistait. On espérait pouvoir guérir toutes les infections en un tour de main.

Il s'agissait d'un véritable remède miracle qui, entre les mains d'un prêtre, devenait facilement un outil de conversion. Aucun missionnaire ne pouvait s'empêcher d'y penser. En demandant de façon très ostentatoire la guérison au nom de Jésus-Christ tout en pistonnant la pénicilline dans le corps du patient, le prestige du prêtre chrétien s'en trouvait renforcé. Difficile d'échapper à cette tentation mêlant malhonnêteté, bonne cause et altruisme dans une seringue de verre.

Launay installa le malade sur un rocher. Après lui avoir adressé quelques propos rassurants, il fouilla dans son havresac pour en sortir un brûleur et un manche métallique muni d'un miroir de dentiste. L'examen ne dura que deux minutes. Entre les haut-lecœur du Laotien qui réagissait fortement à l'introduction du miroir dans sa gorge, Launay vit que, du larynx aux bronches, l'infection purulente ne guérirait pas d'elle-même. Non traitée, elle pouvait s'aggraver et mettre la vie du patient en danger. Les ganglions gonflés au maximum ne réussissaient plus à combattre le mal.

Avant de porter un diagnostic final, le missionnaire demanda à Keng Chane de traduire les questions qu'il souhaitait poser au patient. Il apprit ainsi que ni les incantations des sorciers, ni les sacrifices aux *phis* n'avaient pu stopper la maladie. Même l'intervention d'un chaman de Muong Sé n'avait rien donné.

Le prêtre éprouva la tentation de ridiculiser ces superstitions. Il avait envie de dire : « Si toute vie est souffrance, et que nos souffrances proviennent de nos désirs, pourquoi ce jeune bouddhiste ne fait-il pas taire son désir de guérison ? Il devrait mieux méditer les Nobles Vérités du Bouddha ! Que la voie de la sagesse lui propose donc d'accepter que le monde n'est pas comme nous le souhaiterions. Alors là, votre Bouddha forcerait le respect. Mais non ! Dès que la souffrance se manifeste, on va voir ce chien de chrétien pour lui demander si ses remèdes valent mieux que les sacrifices qu'on a faits aux *phis* sur recommandation de son chaman, de son sorcier ou de cette saloperie de Nguoc qui, paraît-il, veut m'aspirer l'âme à Muong Sé. »

Launay se reprocha cette pensée. La voie prônée par Jésus ne posait pas de conditions à la charité. L'amour du prochain dictait une compassion authentique. Ce malade à la gorge enflée, c'était Jésus qui lui demandait de l'aider. La souffrance de cet homme surgi du fin fond de l'Asie était aussi celle du Christ. Il n'avait pas le droit de juger. Et pourtant, il jugeait. Pourquoi tenter de convertir ces gens si leurs croyances étaient aussi valables que les siennes?

Le prêtre fit taire ses raisonnements. Il s'était promis de ne plus se laisser distraire par la raison. Seule la voie du cœur menait à Dieu. Il lui fallait aider et aimer ce malade.

— Dites-lui que je peux traiter son mal. Malgré la sévérité de l'infection, la pénicilline en viendra à bout en quelques jours. Mais attention, interdiction formelle de boire la moindre quantité d'alcool durant tout le traitement. Faites-lui bien comprendre que même quand il se sentira guéri, il devra absolument prendre la pénicilline jusqu'à la fin. Sinon, il risque la rechute.

— Nous veillerons sur lui, répondit un voyageur en langue laotienne. Il suivra vos instructions, je vous en donne ma parole.

Satisfait de cette réponse, le missionnaire fit une injection au patient en lui laissant des antibiotiques en cachets.

— Voulez-vous vous joindre à nous jusqu'à Muong Sé? demanda Martin.

Les trois voyageurs refusèrent de suivre le prêtre. Ils le remercièrent avec effusion mais ne voulurent pas repartir vers Muong Sé.

— Je ne connais même pas votre nom, fit le missionnaire à l'intention du malade.

— Trong.

— Curieux, je croyais que vous ne compreniez pas le français.

— *Bo phen nam !*

— Pourquoi ce mensonge ?

— N'insistez pas, père, lança Keng Chane. Laissez-les à leur karma.

Le prêtre haussa les épaules tandis que le malade et ses amis s'éloignaient vers l'ouest.

— Il nous reste encore quatre jours de brousse, constata Martin. Dis-moi donc, Champa, pourquoi te rends-tu au Nord sauvage ?

— Parce que je suis comme toi, père chrétien. Je suis moi aussi un missionnaire. Le nord du Laos se détourne du Bouddha. Les gens croient plus aux chamans qu'aux Nobles Vérités. Je tenterai de leur apporter les lumières de l'Éveil.

— Tu as donné ta parole de revenir à Houei Tha trois semaines après notre arrivée.

— Trois semaines suffiront.

CHAPITRE TREIZE
Le Nord sauvage

Muong Sé. Laos, 1948.

Fourbus, courbaturés, le regard livide comme s'ils observaient un point situé dans une autre dimension, les quatre broussards émergèrent de la jungle. Il leur avait fallu huit jours de marche à travers la forêt pour enfin atteindre les environs de Muong Sé.

Un point sur la carte, une bourgade plutôt insignifiante, cette commune du nord du pays avait attiré Launay comme un aimant depuis le jour où il s'était mis en tête d'y apporter la Bonne Nouvelle. Le prêtre se revoyait à Ottawa ce soir d'hiver où, dans la cour de la résidence des oblats, il avait tant souhaité se retrouver ici. Il avait vu Muong Sé parée d'une auréole d'exotisme quand, entretenant des fantasmes beaucoup trop romantiques de l'aventure, il s'était imaginé convertir les païens de l'endroit. Il y était enfin. La vision complaisante s'effaçait devant la réalité. Muong Sé était une bourgade infecte.

La piste de jungle s'élargissait en une allée de terre battue qui graduellement devenait la rue principale de ce village. Launay reconnaissait les éternelles maisons sur pilotis, ce qui surprenait puisque nul fleuve ne courait dans les parages. Il reconnut des pagodes, un bâtiment aux allures de palace, puis des potagers, des cabanes, une muraille. Cette commune pour laquelle il avait obtenu son sauf-conduit des mains de Desmoulins devait compter environ 3 000 âmes. Un gros village d'après les critères laotiens.

Les yeux du prêtre cherchaient un drapeau tricolore de la République française. Il n'en trouva pas. La chose, qui ne le surprit qu'à moitié, le laissa dans l'angoisse. Champa, qui se tenait près de lui, l'invita d'un signe de la main à s'immobiliser.

—Les gens de l'endroit savent qui nous sommes, dit-il. Mieux vaut les laisser venir à nous.

—Pourquoi ne pas prendre les devants?

—Nous portons des armes. À Muong Sé, on n'aime pas les visiteurs armés. Attendons un peu.

Les événements donnèrent raison à Champa. Deux hommes au visage fermé vinrent parler aux broussards. Curieusement, l'un des deux parlait français.

—Papiers d'autorisation, lança-t-il d'un ton militaire.

Launay lui tendit les documents, persuadé de la validité du sceau de la République.

—Ce Desmoulins accorde des permis de séjour sans aucun sens du discernement, fit l'homme qui contrôlait les identités. *Bo phen nam!* Rendez-nous vos armes et suivez-nous.

—Un instant, répondit Launay. Pourquoi devrions-nous vous suivre?

—Le maître vous attend.

—Li-Tchen?

—Oui. Si Li-Tchen veut vous voir, vous ne pouvez pas refuser. Vous n'êtes plus chez les

Laos du Mékong, père Launay. En entrant ici, vous tombez sous notre juridiction.

— La République française…

— La République fera ce que Li-Tchen lui dira de faire, interrompit l'homme dont le visage devenait plus ouvert. Croyez-moi, votre Desmoulins hésitera longtemps avant de venir faire le matamore.

— D'accord, nous vous suivons de bonne grâce.

Les deux hommes désarmèrent les voyageurs. Les 30-30 des broussards maintenant accrochées à l'épaule, les envoyés de Li-Tchen conduisirent les nouveaux venus au bâtiment ressemblant à un palace. Launay remarqua la présence de plusieurs gardes armés dans les environs. Il n'était plus au pays du doux Laos. Les divinités elles-mêmes s'effaçaient devant le vrai dieu du Nord : l'opium. Un dieu trompeur avec ses roitelets, ses trafiquants et ses hontes. Ici, les gens paraissaient différents des autres, comme si toutes les ethnies du Sud-Est asiatique s'étaient entendues pour expulser les véritables *Laos* du voisinage.

*   *   *

— Voici donc le fameux père Launay dont on me parle tant depuis Luang Prabang.

D'une politesse exquise, Li-Tchen observait le missionnaire avec un soupçon d'ironie dans le regard. Vêtu de vert et d'or, coiffé d'un chapeau court, l'homme n'avait pas l'air d'un potentat ou d'un roitelet de l'opium. Il affichait pourtant la nonchalance des gens sûrs de leur pouvoir.

Li-Tchen avait vite donné congé aux autres broussards afin de s'entretenir seul à seul avec le prêtre. Le maître recevait Launay dans ses appartements particuliers du palace de Muong Sé.

— Qu'est-il arrivé au père Maizeret ? demanda Launay sans aucune finesse.

— Officiellement, il s'est éloigné un jour de ce qu'il appelait sa « mission ».

— Officiellement ?

— Ne soyez pas si pressé d'éclaircir cette affaire. Si je comprends bien, vous comptez reprendre la direction de la mission catholique de Muong Sé.

— Rien ne m'en empêchera.

— Je n'aurais qu'à claquer des doigts pour vous en empêcher, fit Li-Tchen avec un raffinement lourd de sous-entendus. Il conservait cependant cette attitude affable qui désarçonnait tout en rassurant.

— Faites-le. Je suis prêt à mourir pour ma foi.

— Bien sûr. Je connais les gens de votre espèce. Je suis pourtant attristé à l'idée que vous pensiez qu'un homme comme moi s'abaisserait à vous tuer.

— Et le père Maizeret, alors ?

— Il s'est abaissé de lui-même. Il se cache à cinq kilomètres au nord.

— Sur vos terres personnelles ?

— Oui, et avec mon autorisation. Je vous signale qu'une clôture située à un kilomètre d'ici marque le début de mes possessions. Il vous est formellement interdit de franchir cette barrière.

— Parce que, de l'autre côté de cette clôture, je découvrirais vos petits trafics.

— Ne me forcez pas à prendre des mesures. Allons, Launay, faites semblant de respecter mon autorité de *pho ban* et moi, je jouerai au bouddhiste tolérant qui accepte toutes les croyances.

— Alors parlez-moi de Nguoc.

— La voleuse d'âmes ? Ne me dites pas que vous versez dans ces balivernes. Vous me surprenez, père Martin.

— Assez joué. Depuis Luang Prabang, chacun me parle de cette prétendue sirène qui m'attendrait ici.

— Racontars de Hmongs !

— Je vois que je ne retirerai rien de vous.

— Je vous laisse à vos chrétiens de Muong Sé. Vous les trouverez près de l'église située à l'est du village. Circulez où il vous plaira à la condition de ne pas franchir la barrière nord.

— Vous me laissez partir ?

— Je vous laisse partir, déclara Li-Tchen avec bonhomie. Allez prêcher, convertir ou soigner qui vous voulez.

— Et mes antibiotiques ?

— Vous pensiez que je vous les confisquerais ?

— Oui.

— Faites-en donc ce que vous voulez !

— Je compte traiter les malades du village. Avec des guérisons par antibiotiques survenant après que sorciers et chamans ont échoué, mon prestige grimpera en flèche.

— *Bo phen nam !*

*   *   *

Launay quitta le palace sans comprendre l'attitude conciliante du roitelet de l'endroit. On le laissait libre de ses allées et venues. Libre de prêcher par l'exemple, de soigner les corps avant de s'occuper des âmes. Libre d'éclairer ce monde en plantant une croix dans la nuit du Nord sauvage. Libre de guérir presque miraculeusement les maladies infectieuses. Le prestige du père porterait ombrage aux croyances locales. Logiquement, Li-Tchen devrait s'y opposer. Craignait-il le sceau de la République ? Derrière sa désinvolture de façade, le potentat avait-il peur de voir un jour surgir la troupe ? Et pourquoi cette esquive quand il lui avait parlé de Nguoc ? « Racontars de Hmongs ! » Le verdict sonnait faux.

Le prêtre s'installa au presbytère de l'église de Muong Sé. Elle avait un peu souffert de l'occupation japonaise mais restait malgré tout présentable. Le presbytère, bien que vidé de ses objets de valeur, était encore doté d'un mobilier acceptable. Le père Maizeret avait sûrement dû l'habiter entre 1946 et 1947.

Martin Launay devait dorénavant compenser pour tous ses manquements. Le don total de sa personne commençait à cette mission. Ses faiblesses, pour lesquelles il éprouvait de la culpabilité, s'arrêtaient à Muong Sé. Depuis qu'il avait choisi la prêtrise, toutes ses études, son noviciat, son entraînement avaient eu comme seul objet de lui procurer l'aller simple pour le bout du monde. Un billet conduisant au terminus de Muong Sé. Il y était parvenu. À lui maintenant de décider si son ancienne vie se terminait elle aussi dans ce bled pourri.

Fini le questionnement, fini le cynisme. À partir d'aujourd'hui, Martin, ta vie appartient aux autres. Tu la donneras aux pauvres, aux plus pauvres des pauvres, aux malades, aux êtres souffrants, aux narcomanes et aux découragés de la vie. L'arbre de la charité donnera ses fruits. Avec l'aide de Dieu, ton ministère amènera des conversions. D'abord une seule, puis une autre et encore une autre. Afin d'ouvrir ces cœurs à Dieu, tu traiteras les maux des corps comme si tu soignais le Christ lui-même. Pour apporter la Bonne Nouvelle, une seule recette : la charité, la charité et encore la charité.

Il y croyait, comme y croyaient tous les oblats et ceux qui sentaient la présence du Christ dans les églises catholiques construites dans les ténèbres du paganisme. C'était en 1948, à l'époque où l'Occident fournissait encore des recrues aux ordres religieux. Les vocations fleurissaient ici et là dans un monde qui, bientôt, se détournerait de Dieu. Déjà, la France donnait de sérieux coups de boutoir à la foi. Dans les autres pays catholiques, on faisait semblant de ne pas trop s'en rendre compte.

Martin transforma une partie du presbytère en clinique médicale. Il savait qu'on viendrait le voir dès le lendemain. Contrairement à ce qu'il avait stupidement fait en sonnant les cloches dès son arrivée à Houei Tha, il s'occuperait d'abord de la clinique. La messe attendrait bien une semaine.

* * *

À l'éternelle complainte « Père, j'ai mal ; père, j'ai faim » si connue des missionnaires d'Afrique, les Laotiens substituaient des demandes empreintes de dignité. Ils venaient chercher des secours en tâchant de sauver la face. Même s'ils ne s'adressaient parfois au prêtre qu'en leur langue, un interprète de la communauté chrétienne traduisait pour Martin : « Père, je crains que mon corps réagisse mal au dosage proposé par l'herboriste. En échange de cinq mangues, me proposeriez-vous un médicament de pharmacie occidentale ? »

Launay souriait. Il admirait ce souci de dignité. En même temps, la situation l'attristait. Muong Sé avait plus besoin de médecins que de missionnaires. D'accord, il tirerait le meilleur parti de ses connaissances d'infirmier de brousse pour venir en aide à ces gens. Il savait toutefois qu'un humaniste amoureux de l'aventure aurait pu tenir le même rôle.

Avait-il le droit de prétendre que Jésus guérissait quand la pénicilline ou la quinine accomplissait le « miracle » un peu trop vite porté au crédit de Dieu ?

Le prêtre se rendait compte que les chrétiens espéraient bénéficier d'un traitement de faveur. Leurs regards signifiaient : « Soignez d'abord les catholiques, ne gaspillez pas vos précieux remèdes en gâtant les bouddhistes. » On lui proposa même de traiter de préférence ceux qui accepteraient de se convertir. L'attitude des chrétiens de Muong Sé blessait le prêtre.

— Ne comprenez-vous donc rien à la charité ? demanda-t-il à un patient formulant pareille proposition.

— C'est ce que le père Maizeret faisait ! Pas de conversion, pas de remèdes !

— C'est honteux ! lâcha Launay, scandalisé. Où se cache-t-il donc ce Maizeret ?

— Vous l'ignorez ? Allons, tout le monde sait qu'il croupit en prison. Li-Tchen le maintient en geôle depuis des mois !

— Vraiment ! Je vais lui rendre visite, moi, au père Maizeret.

— N'y allez surtout pas sans autorisation. La prison se situe sur les terres personnelles de Li-Tchen.

*   *   *

Le mystère Maizeret s'éclaircissait et s'épaississait en même temps. En prison ! Et ce Desmoulins qui n'en avait pas soufflé mot. Quel cochon !

Le lendemain, Martin se fit dire par un catholique que personne ne savait quel genre de mauvais traitements le potentat faisait subir aux prisonniers. Tous tremblaient d'effroi à l'idée de heurter Li-Tchen, qui emprisonnait ceux qui nuisaient au trafic de l'opium.

Les trois premières journées de la mission se déroulèrent entre les consultations et les rumeurs. Launay découvrait sans surprise que le nord du Laos vivait de l'opium. Souvent, au hasard d'une promenade effectuée pour se changer les idées, il croisait des trafiquants armés. Il voyait de longs cortèges de vingt ou trente porteurs lourdement chargés quitter le village pour la brousse.

— Où vont-ils ? demanda-t-il à son interprète qui le suivait partout. C'était un des rares Hmongs de la région à s'être converti au christianisme. Launay le connaissait sous son nom de baptême, Marc, bien que les traits orientaux du jeune homme rendaient ce prénom peu crédible.

— Plusieurs prennent la direction de la Birmanie, quelques-uns vont en Annam, les autres en Chine.

— Ne craignent-ils pas les milices maoïstes ?

— Les communistes trempent dans le trafic. Ils achètent la drogue pour la revendre aux Indes.

— Beaux pays !

— C'est le triangle d'or. Tout le monde ferme les yeux.

— J'ai été averti de ne pas m'en mêler.

— Sage conseil.

— Retournons à la clinique.

— Les pires malades n'y viennent pas encore, fit l'interprète étrangement nommé Marc en regagnant le presbytère.

— Les pires ?

— Les narcomanes les plus accros. On ne peut presque plus rien pour eux.

Le prêtre se trouvait désarmé devant le mal du Laos. Si la pénicilline et la quinine donnaient des résultats spectaculaires contre les infections et la malaria, rien ne pouvait traiter l'opiomanie.

— Que faisait Maizeret ?

L'interprète catholique lui expliqua que l'ancien missionnaire traitait en cure fermée.

Graduellement, il diminuait les doses d'opium en bourrant le malade de chocolat.

— Du chocolat?

— À haute dose, le sucre et la caféine aident à tenir le coup. Maizeret sollicitait aussi le soutien financier de la famille du malade. Il demandait aux proches du narcomane de faire venir à grands frais les rations de chocolat. Il en commandait à un marchand général de Houei Tha.

— Un Marseillais vivant avec une jeune Laotienne nommée May Lai?

— Comment le savez-vous?

— *Bo phen nam!* Pourquoi raconte-t-on que le père Maizeret s'est si mal conduit?

— Bon Dieu, père, ne me dites pas que vous l'ignorez!

— J'ai entendu parler d'opium et de femmes.

— Ça, c'était après!

— Après quoi?

— Son expédition en Chine.

— Je ne sais rien de cette histoire.

— En ce cas, on vous a caché la vérité.

— Expliquez-vous, répliqua Martin, impatienté.

Avant de parler de Maizeret, Marc fit part à Martin de son inquiétude de savoir Xuyen Lee DucTho à Muong Sé.

— Il est possible que vous soyez en danger.

— Parlez-moi plutôt de Maizeret.

Après un moment d'hésitation, Marc, le Hmong chrétien, résuma la situation tout en faisant savoir que, sans s'en rendre compte, Launay venait d'introduire une cause de désordre à Muong Sé.

Selon Marc (Martin se disait en son cœur : « Curieux Évangile selon Marc »), le père Antoine Maizeret aurait persuadé des chrétiens de Muong Sé de se rendre en Chine combattre l'Empire du Mal, non par les armes, mais par l'exemple d'un christianisme authentique. Il avait traversé la frontière avec quinze fidèles, comprenant, entre autres, la belle chrétienne de Houei Tha convoitée par Xuyen. L'expédition fut un fiasco. Les soldats communistes les passèrent tous par les armes à une exception : le plus coupable de tous, Antoine Maizeret, que les Chinois réexpédièrent au Laos sans attenter à sa personne.

Depuis, Maizeret avait sombré dans l'alcool, le vice et l'opium. Sa disgrâce était telle qu'il avait perdu toute influence à Muong Sé. Devenu l'ombre de lui-même, rongé par la honte et le remords, il accueillit son emprisonnement par Li-Tchen comme un soulagement.

— Non, protestait Launay. Xuyen s'est tapé tout le voyage pour épouser cette femme. Il doit la chercher partout depuis son arrivée.

— Je crois qu'il sait déjà tout. Vous êtes en danger, père. Par sa folie, Maizeret a tué le grand amour de Xuyen. Je demeure chrétien, bien que cette histoire me bouleverse. Maizeret avait dit que Dieu le soutiendrait, lui et ses braves fidèles apportant la lumière du Christ dans la nuit rouge des communistes. Pourquoi Dieu les a-t-il abandonnés ?

* * *

Il n'y avait rien à répondre. Pourquoi Dieu avait-il jadis laissé les Turcs gagner la dernière croisade ? Pourquoi avait-il permis à Maizeret de discréditer son Église ? Allons, avec ses guerres de religion, sa Saint-Barthélémy, ses tortures et son Inquisition, l'Église s'était tellement discréditée que si on devait juger l'arbre à fruits, le christianisme était mûr pour la hache du bûcheron.

Martin retrouvait ses doutes, intacts comme à chaque fois. Il se rendait compte que le fiasco de Maizeret le suivrait dans tout le Nord sauvage. Voilà pourquoi Li-Tchen n'avait pas sévi. À Muong Sé, l'Église du Christ n'avait nul besoin de persécution tant elle s'était ridiculisée aux yeux de tous. Dieu n'avait pas soutenu les siens contrairement à la promesse du père oblat. Le scandale éclaboussait Martin. Rien de ce qu'il dirait ou ferait ne le laverait de la honte d'une promesse non tenue.

À cet instant, Martin aimait Dieu puisqu'il percevait chez lui une personnalité imparfaite qui devait souffrir de ses manquements. Il aimait Dieu de façon sacrilège, presque blasphématoire comme si lui, l'homme, devait pardonner à Dieu et non l'inverse. Martin ne savait plus quel nom donner à son péché.

« Et pourtant, Dieu m'a mis dans le cœur cette bonne volonté. Je n'y comprends rien, mais je sais que c'est la seule voie vers Dieu. » La pensée le réconforta.

*   *   *

Le fil de la vie de Launay se déroulait dans une sérénité relative. Depuis une semaine, il se consacrait aux pauvres sans savoir s'il aurait la force de rester à Muong Sé quand ses compagnons de voyage regagneraient Houei Tha.

Il aimait voir la joie des malades quand on s'occupait d'eux, leur regard d'espoir à la vue des médicaments venus d'Occident. Le missionnaire constatait que son attirail de dentiste s'avérait particulièrement utile. L'astuce consistait à rassurer le patient sans tenter de le duper. Le mal de dent, si cruel, si insoutenable, faisait partie des maux relativement simples à traiter.

Le prêtre constatait les ravages des chamans. Des sorciers aux remèdes inutiles sévissaient avec leurs incantations, leurs sacrifices aux *phis* et leur mauvaise médecine à base de cataplasmes. Ces remèdes de charlatans ne faisaient qu'étendre les infections.

Martin s'habituait à son nouveau décor. Le petit bâtiment attenant au presbytère lui servait de clinique. Le soir, éclairé aux lampes à pétrole, il donnait encore des consultations. Il était installé depuis à peine une semaine que son influence grandissait parmi les habitants de Muong Sé.

Mais tous ne voulaient pas confier leurs maux au sorcier étranger. Le huitième jour, Martin apprit que la famille d'un malade préférait s'en remettre aux chamans plutôt que de consulter le père chrétien.

Champa vint en avertir Launay. Il semblait profondément perturbé.

— Ils m'ont laissé voir le malade, fit Champa. Il s'agit d'un jeune homme souffrant d'une hernie. De leur côté, les chamans jurent qu'un *phi-phop* grandit en lui.

— Un buffle de la taille d'un grain de riz qui fait des siennes ! Il a grossi notre grain de riz.

— Tu ne comprends pas, père. Les chamans veulent qu'on sacrifie un buffle pour convaincre le *phi-phop* de partir.

— Niaiseries !

— Ils vont tuer un animal. Ils vont lui ouvrir la poitrine au couteau pour en ressortir le cœur. Je ne peux les laisser faire.

— Tu veux les empêcher ?

— Il le faut.

— Ce n'est qu'un buffle.

— Le Bouddha a dit de faire preuve de compassion envers les animaux. De son vivant, Bouddha avait un jour rencontré un tigre affamé. Il s'est entaillé le poignet afin que le tigre lui lèche le sang. Le Bouddha préférait perdre son sang que de refuser d'aider le tigre.

— Très méritoire, fit Martin avec un sourire de dérision.

— Je compte racheter le buffle.

— Avec quel argent ?

— Avec ma vie. Qu'ils me tuent donc à sa place.

Launay estimait que Champa agissait par calcul. Les habitants de l'endroit songeraient-ils sérieusement à un sacrifice humain ? La chose paraissait peu vraisemblable.

*   *   *

Le lendemain matin, Keng Chane, qui ne s'était pas encore montré à la mission, vint rendre visite au prêtre. Il marmonna de vagues excuses pour expliquer son absence à l'église, puis bifurqua soudainement vers le sacrifice prévu par les chamans.

—Champa ne peut laisser faire cette ignominie !

—Il ne risque rien. Crois-tu vraiment qu'un chaman prendrait sa vie en échange de celle d'un buffle ?

—Oui.

—Allons, nous sommes au doux pays du Laos.

—Le Nord sauvage n'est plus le Laos. Champa veut montrer à tous la voie du Bouddha.

—Que suggères-tu ?

Il y avait de la provocation dans la question du prêtre. Launay sous-entendait que si la populace de Muong Sé était assez folle pour croire à ces sornettes, ni rien ni personne ne pouvait lui donner du jugement.

Keng Chane voulait que le prêtre appuie la démarche de Champa.

—Ce serait admettre la valeur égale de l'animal et de l'humain. Je ne saurais défendre le point de vue bouddhiste, conclut le missionnaire découragé par la demande de Keng Chane.

—Alors offre ta vie en échange de celle de Champa.

—Ça reviendrait au même. Un homme contre un buffle. J'ai d'autres préoccupations que vos histoires de *phi-phops*.

—Sur ce point je te donne raison. Quand le buffle sera sauvé, nous tâcherons de retrouver Maizeret.

—Je n'ai pas l'autorisation de Li-Tchen.

—Li-Tchen part bientôt pour quelques jours. Nous irons au nord sans rien lui dire. De toute façon, il vaudrait mieux que tu partes d'ici. Xuyen a appris le rôle de Maizeret dans la mort de la fille qu'il comptait épouser. La colère pourrait lui faire quitter la voie du Bouddha. Estime-toi heureux que Li-Tchen nous ait confisqué nos armes. Quand la colère aveugle un homme au cœur pur comme Xuyen...

Keng Chane n'avait pas à finir sa phrase. Le désespoir pouvait conduire un tel homme à exterminer tous les chrétiens de Muong Sé.

—Je ne risque donc plus que le coup de pied sur la bouche ? fit Martin encore de bonne humeur.

« Imbécile », se dit Keng Chane en affichant un sourire amical. Maintenant que Xuyen juge les chrétiens coupables, il ne fera rien pour t'éviter ma vengeance. Sitôt le buffle sauvé, je t'expédie chez Nguoc. Notre voleuse d'âmes piaffe d'impatience. »

—Un instant, reprit Launay. Tu m'as dit que nous irions chercher Maizeret quand le buffle sera sauvé. Ni toi ni moi n'avons à sauver cette bête. Tu es chrétien, Keng Chane.

—Il faut sauver le buffle si nous voulons éviter la mort de Champa. Venez demain avec moi, père.

*　　*　　*

Le matin suivant, des villageois guidés par trois chamans traînaient un buffle sur la place principale de Muong Sé. Ils l'avaient solidement ficelé, car le rituel exigeait d'extraire le cœur d'un animal vivant. À quelques mètres, le sorcier armé d'un couteau de boucherie crachait par terre comme s'il témoignait de sa haine des manquements du malade qui avait oublié de rendre suffisamment hommage aux *phis*.

Près du sorcier, couché sur une paillasse étendue sur la terre battue, le malade à la hernie regardait le cortège avancer vers lui. Croyait-il vraiment en la magie du sacrifice? Pensait-il que son mal provenait d'un fantôme jeteur de sort qui avait réduit une énorme bête pour la mêler au riz qu'il avait mangé?

Comme plusieurs Laotiens du nord, le malade faisait partie de l'ethnie des Khamus, la plus superstitieuse, celle dont les membres vivaient persuadés que la prospérité de leurs villages dépendait du culte qu'ils rendaient à la mémoire de leurs ancêtres. Que survienne un malheur, ils en accusaient les *phis* tout en craignant les conséquences de cette accusation.

Les Khamus tentaient d'acheter la paix en sacrifiant une bête qu'un sorcier mutilerait près de la maison où était survenu le malheur, ou à quelques pas d'un malade victime des mauvais génies. Spectacle d'une rare violence, sanglant, cruel, à la mesure de la colère du *phi* que le chaman devait apaiser. Pour un bouddhiste sincère comme Champa, la férocité du sacrifice conduirait ses auteurs au pire karma qu'on puisse concevoir. Il devait s'y opposer même au prix de sa vie.

Champa se tenait immobile, le regard triste, conscient que son propre karma dépendait de son intervention. Seul devant l'ignominie qui se préparait, il se résignait à affronter les ténèbres de l'ignorance sans aucune aide des chrétiens ou des bouddhistes de Muong Sé.

Il s'approcha du sacrificateur qui invoquait les *phis* et leur promettait un cœur encore fumant s'ils consentaient à convaincre le *phi-phop* de quitter le corps du malade.

« Nous couperons d'abord les jarrets du buffle et vous entendrez la bête hurler de douleur, psalmodiait le boucher. Alors, je découperai lentement la poitrine de cette bête et j'irai lui chercher le cœur. Je vous l'offrirai en vous demandant humblement de retirer le mauvais sort qui cause le mal à ce pauvre homme de Muong Sé. Pardonnez-lui de ne pas vous avoir rendu suffisamment hommage et acceptez la douleur de cette bête en rachat des manquements du jeune homme. »

La prière si peu bouddhiste scandalisait Champa, qui s'adressa au sacrificateur en un mélange de laotien et de dialecte birman. Il lui fit comprendre qu'il devrait d'abord lui enfoncer le couteau dans le ventre avant de s'en prendre au buffle.

Devant les villageois, Champa affirma que la souffrance de l'animal retomberait sur tous les complices du sacrifice et que, si dans leur aveuglement ils allaient jusqu'au sacrifice humain, leurs âmes subiraient de tels tourments qu'ils en maudiraient leur venue sur terre.

Après les menaces proférées sur un ton si posé qu'on les croyait plausibles, Champa invita les *phis* à s'en prendre à lui plutôt qu'au malade. La requête, à peine pensable chez les bouddhistes qui jamais ne provoquaient les esprits, impressionna les Khamus.

— Tu prends donc la colère du *phi-phop* sur toi ? demanda le sorcier.

— Oui.

— Et tu crois qu'un *bacci* viendra à bout de la maladie de ce jeune fornicateur ?

— Non !

Le cri retentit dans le silence de l'allée poussiéreuse. Keng Chane avait crié à la place de Champa.

— Voilà le bâtard chrétien qui vient nous faire la leçon ! lança le sorcier en regardant Keng Chane. Je veux bien épargner l'homme au cœur pur qui a accepté de prendre sur lui la vengeance du *phi-phop*. Je suis même prêt à libérer le buffle si ce chien puant de Birman se laisse ouvrir le ventre à sa place.

Sans se démonter, Keng Chane s'approcha du sorcier et lui murmura à l'oreille afin que lui seul puisse comprendre :

— Enfonce-moi ton couteau dans le ventre et je te jure que Li-Tchen te fera connaître l'enfer.

— Li-Tchen ?

— Le maître ferme les yeux sur tes superstitions parce qu'elles ne nuisent pas au trafic de l'opium. Mais si tu t'en prends à moi, il te fera rôtir vivant.

— Tu me fais perdre la face, dit le sorcier en abaissant encore le ton.

— Laisse-moi faire. Je sauverai à la fois Champa, le buffle et ta putain de face. Remets-moi d'abord ton couteau et ne t'avise plus de m'insulter. Ton couteau et je sauve ton influence auprès de ces fermiers.

— Sinon ?

— Li-Tchen te fera payer chèrement chaque lingot d'argent que ma mort lui fera perdre.

Le sorcier remit son arme en se rendant compte que Keng Chane était probablement un des grands trafiquants du Laos. Le jeune Birman demanda aux villageois d'aller chercher le père Launay.

Le sorcier intervint, vert de rage :

— Tu vas laisser le père chrétien mettre la guérison au crédit de son Dieu !

— Fais-moi confiance, répondit doucement le Birman.

Keng Chane s'adressa alors aux Khamus. Il leur expliquait que les connaissances de Launay étaient celles issues de la science moderne et qu'un athée, un bouddhiste, ou un chrétien formé dans les établissements d'Occident détenait le même savoir.

— Que ferais-tu si le père refusait ? demanda une femme parente du jeune malade.

— Je lui ouvrirais la gorge d'une oreille à l'autre.

— Ne crains-tu pas que, comme pour le buffle, l'homme au cœur pur propose sa vie en échange ?

Keng Chane avait envie de lui dire que Champa savait que son théâtre donnait de bons résultats uniquement chez les esprits lourds de la populace. Mais il répondit :

— Champa n'aura pas à risquer sa vie. Le père chrétien acceptera sous la menace.

— Tu l'égorgerais vraiment ?

— Le sorcier le ferait !

Keng Chane venait de sauver la face du chaman. Fonçant tête baissée dans l'ouverture qui lui était offerte, le sorcier donna l'ordre de libérer le buffle. Il aboyait ses directives comme s'il maîtrisait encore la situation.

Keng Chane regarda Champa. L'homme au cœur pur ne bronchait pas, il savait que personne ne serait tué. En même temps, il comprenait la nécessité de la menace de Keng Chane afin que tous aient l'illusion de sauver la face. Par un léger mouvement de tête, il fit comprendre qu'il n'interviendrait pas.

Launay arriva enfin tandis qu'on finissait de détacher le buffle.

CHAPITRE QUATORZE
Le piège de Nguoc

Muong Sé. Laos, 1948.

— J'aurais soigné ce jeune homme s'il avait bien voulu de mes services, fit Launay à l'intention de Keng Chane et de Champa qui lui demandaient de s'occuper au plus vite du Khamu à la hernie.

— Je sais, répondit Keng Chane. Faites pourtant semblant de le traiter sous la menace de mon couteau.

— Avez-vous réellement besoin de recourir à ces méthodes ?

— Dans le Nord sauvage, oui.

— Je le soignerai par amour du prochain, non sous la menace. Faites-le comprendre aux villageois.

— Traduis pour le père, glissa Keng Chane à l'oreille de Champa.

Keng Chane brandit alors son couteau vers le ciel et harangua les Khamus. Par la voix de Champa, Launay l'entendit annoncer :

— Le chien puant pose ses conditions. Il crache sur la souffrance de ce jeune malade. Il prétend même que votre sorcier n'osera pas s'en prendre à lui.

Un grondement de désapprobation parcourut la petite foule des villageois. Le chaman, qui savait que Keng Chane tentait ainsi de sauvegarder son autorité auprès des gens simples, ajouta ses propres imprécations à la colère des Khamus :

—Ou tu acceptes ce malade à ta clinique, lança-t-il au prêtre, ou je te sacrifie aux *phis* à la place du buffle.

Champa, qui traduisait, se permit de conseiller à Launay de hausser les épaules et d'agir avec calme.

—En somme, j'agirai comme si je n'avais pas peur de me faire éventrer par ce croque-mitaine.

—Le sorcier n'en fera rien, rétorqua Champa. Laissez cependant les Khamus sous l'impression que vous respectez le théâtre de leur chaman.

—*Bo phen nam*, fit Launay à l'intention du sacrificateur. Conduisez ce jeune homme près de l'église.

Martin était furieux contre Keng Chane. À ses yeux, ce Birman n'était qu'un païen qui avait appris à faire le catholique de circonstance. Comme il avait eu raison de gifler ce bâtard faussement chrétien. Plutôt que de se porter à la défense de la vraie foi, Keng Chane avait préféré impressionner la populace en traitant le père de chien puant. Launay avait envie de lui interdire désormais l'accès à l'église. Il hésitait pourtant à rompre les liens puisqu'il comptait sur le jeune Birman pour réussir à se rendre jusqu'au père Maizeret.

* * *

Guidé par le missionnaire, le cortège des Khamus arriva enfin à la clinique. Avec patience, sans rien laisser paraître de ses craintes, Launay examina le jeune homme à la hernie. Un mélange d'amour et de haine habitait Martin. Amour de Dieu et du malade, haine de cette populace, de son sorcier et de ce maudit Keng Chane. Que ce faux jeton reparte donc à Houei Tha retrouver sa Benazaire Srila, probablement aussi fausse que lui.

— Heureusement, la hernie n'est pas encore étranglée, déclara Launay en remisant ses pensées haineuses dans un compartiment de son esprit. Mais il faut agir au plus vite. Je crains que la déchirure n'empire bientôt.

Les connaissances médicales du missionnaire ne l'autorisaient pas à effectuer des chirurgies majeures. Ce cas, ni encore majeur ni plus tout à fait mineur, se situait à la limite de ses capacités. Le prêtre disposait d'éther comme anesthésiant. « Heureusement, se dit-il en lui-même. Je connais un jeune païen qui, sans éther, beuglerait encore plus fort sous le bistouri que ne l'aurait fait le pauvre buffle livré au sacrificateur. »

— J'ai besoin d'un assistant, lança-t-il à l'intention de Keng Chane.

— Je n'y connais rien.

— Moi, je sais comment t'aider, annonça Champa.

— Ils vous apprennent la chirurgie dans vos monastères ? demanda le prêtre en laissant un sourire sarcastique exprimer ouvertement son mépris du Bouddha.

— J'ai appris à Luang Prabang.

Champa, qui avait suivi des cours de secourisme dispensés autrefois par des médecins français attirés par l'aventure, détenait quelques notions. Il avait appris juste avant la guerre, quand la France croyait encore en sa puissance et à l'aide de ses colonies en cas de conflit. Sans le savoir, les trois médecins humanistes et non croyants avaient beaucoup impressionné Champa par leur absence de convictions. L'incroyance de ces Blancs avait persuadé Champa de suivre la voie du Bouddha tout en l'indiquant aux autres quand l'occasion se présenterait.

C'était en partie la raison pour laquelle il n'était pas demeuré au monastère. Il voulait œuvrer parmi les siens, menant leur vie sans prétendre à la supériorité. En partie seulement, puisque la vraie raison provenait de son incapacité à faire abstraction des femmes.

L'opération se déroula sans anicroche. Malgré le prestige que lui valait cette intervention, le prêtre sentait qu'aux yeux des habitants de Muong Sé, Champa, Keng Chane et l'ignoble sorcier en récoltaient un certain mérite. Il en fut peiné car il aurait voulu que la médecine lui apporte des conversions. Il percevait aussi que, pour les bouddhistes sincères du nord, l'influence du missionnaire chrétien représentait un danger potentiel.

*   *   *

Le lendemain, Martin constata qu'on le regardait autrement. Il devenait lui-même un peu chaman selon les critères des Khamus. Il en fut flatté sans trop savoir comment réagir à cette soudaine notoriété.

Launay réfléchissait à la direction à donner à son ministère quand Keng Chane vint lui annoncer que Li-Tchen avait quitté les environs de Muong Sé afin de rencontrer des trafiquants de Birmanie.

— Tu en es sûr ?

— Il ne criera pas sur tous les toits qu'il quitte son palais. Si nous voulons retrouver le père Maizeret, c'est le moment ou jamais.

— Des hommes armés surveillent sûrement les terres du potentat.

— J'en fais mon affaire.

— Comment ? En leur disant que le chien puant s'autorise une visite des lieux !

— L'épisode du « chien puant » visait à sauver la face du chaman, vous le savez bien.

— Quelle histoire de *phi-phops* vas-tu inventer cette fois pour sauver la saloperie de face de ces foutus gardiens ?

— J'en fais mon affaire. Laissez-moi agir sans questionner.

— D'accord, allons-y !

Objectivement, Keng Chane n'avait pas plus d'autorisation que lui. Launay calculait que le jeune Birman connaissait le moyen de contourner les obstacles par une excuse plausible aux yeux des gardiens. De toute façon, Martin avait promis de faire l'impossible pour retrouver Antoine Maizeret. C'était enfin l'occasion de tenir sa promesse.

*   *   *

Keng Chane et le missionnaire marchaient plein nord comme des seigneurs autorisés à aller où ils voulaient. Personne ne leur fit obstacle. La promenade, d'une facilité déconcertante, surprenait Launay.

À un kilomètre de la sortie du village, ils virent la clôture blanche délimitant les terres de Li-Tchen. L'obstacle semblait insignifiant. Derrière ce premier barrage, une palissade grise faisant parfois jusqu'à trois mètres de hauteur dissimulait les activités qui se déroulaient dans ce royaume échappant à l'Indochine française. La barrière blanche surmontée d'un fanion doré marquait clairement le début du territoire du potentat. Personne ne surveillait l'entrée.

— Es-tu bien sûr de savoir ce que tu fais ?

Keng Chane répondit en opinant du bonnet. Martin fut pris d'un doute. Entrer ou ne pas entrer ? Que trouverait-il derrière cette barrière ? Que risquait-il vraiment, que risquait Keng Chane ?

Le visage du jeune Birman n'affichait aucune inquiétude, celui de Launay était plus tourmenté. À cet instant précis, il aurait aimé être armé. Si tout Muong Sé tremblait de peur à l'idée de franchir cette frontière, comment Keng Chane pouvait-il être si sûr de lui ?

Refusant de réfléchir davantage, Martin suivit le Birman. Sitôt sa décision prise, il était déjà sur les terres personnelles du potentat. Il avait enjambé la clôture blanche sans trop s'en rendre compte.

À première vue, le seul changement perceptible était l'abondance de la végétation. Keng Chane avançait en suivant le sentier à la façon d'un homme qui connaissait cet endroit.

Les deux hommes marchèrent ainsi près de trente minutes avant de distinguer un premier bâtiment. Un garde armé en sortit sans manifester la moindre surprise. Il salua Keng Chane avec déférence, ce qui inquiéta Martin.

En quelques phrases prononcées dans un dialecte birman, il semblait même souhaiter la bienvenue au jeune homme.

— Vous êtes arrivé à destination, père Launay, annonça Keng Chane. Suivez ce garde qui vous conduira au père Maizeret.

— Et toi ?

— Ne vous occupez plus de moi.

Le garde prit le prêtre par le bras et le conduisit à l'intérieur d'un bâtiment qui évoquait davantage un pavillon qu'une prison. Il s'agissait d'une vaste construction de bois à deux étages. Le tout était muni d'une enceinte qui devait servir de cour intérieure.

Toujours escorté du garde, qui ne lui lâchait pas le bras, Launay entendit la porte se refermer derrière lui. Il avançait dans un genre de couloir de bois vernis menant à un boudoir où on l'attendait.

— Bienvenue chez Nguoc, père Launay.

Martin reconnaissait cette voix, c'était celle de Li-Tchen.

*   *   *

Le prêtre refusait de paniquer. Le piège était si grossier, si vulgaire, que Li-Tchen ne pouvait sévir contre lui sans s'attirer les foudres des autorités françaises. Keng Chane

l'avait dupé, probablement sur ordre du potentat.

— Je vous attendais, fit ce dernier avec cour-
toisie. Je vous ai d'abord reçu dans un palace
où, avouez-le, je n'ai pas joué au méchant. Je
vous avais mis en garde contre le danger de
venir ici sans autorisation. Vous avez préféré
ignorer mes consignes.

— C'est une farce, protesta Launay. Vous
êtes sous la juridiction de l'Indochine française.

— Dans mon domaine, le procureur est le
tigre de la jungle ; vos avocats, les sangsues
des rivières ; la loi, celle de l'opium.

— Le commandant Desmoulins...

— Desmoulins et moi sommes amis com-
me sangliers. Allons, ne faites pas le benêt qui
ignore que Desmoulins trempe dans le trafic !

— Et Keng Chane ?

— Il trempe dans cette fange depuis des
lustres. Je l'ai enrichi lui et sa femme.

— De quoi m'accusez-vous ?

— D'entrée illégale sur mes terres.

— Et ma sentence ?

— Deux semaines de prison.

— Pas plus ?

— Vous oubliez que vos compagnons de
brousse devront obligatoirement regagner
Houei Tha. La date du départ est inscrite sur
leurs autorisations. Neuf jours se sont écoulés
depuis votre arrivée à Muong Sé. Quand vous
sortirez de prison, vos accompagnateurs ne
seront déjà plus ici.

— Je comptais demeurer à Muong Sé.

— Tout en disposant d'une police d'assurance au cas où vous ne résistiez pas aux

premières semaines. Ma sentence vous retire cette police d'assurance. Quant à Nguoc...

— Racontars de Hmongs! Vous-même n'y croyez pas.

— Elle vous attend. Elle viendra vous voir dans votre cellule.

— Qui est-elle?

— Votre bourreau.

*   *   *

Deux gardiens conduisirent le prêtre à sa cellule située au sous-sol du bâtiment. La lumière du jour qui passait à travers les barreaux d'un soupirail lui donnait un air presque accueillant. La cellule n'était pas aussi sinistre qu'il l'avait craint. Il s'agissait d'une pièce relativement grande dotée d'un paravent isolant le coin des tinettes et de la baignoire de ce qu'on pouvait appeler la salle de séjour.

Placé contre le mur où on avait vissé des chaînes, un lit métallique présentait d'inquiétants mécanismes qui devaient servir à maintenir le prisonnier entravé. Un frisson de peur parcourut Launay. Li-Tchen avait décrit Nguoc comme son bourreau. Les yeux du prêtre cherchaient un brasero ou tout autre contenant destiné à recevoir le feu.

Les gardiens refermèrent la porte derrière lui, laissant le prisonnier seul avec ses craintes. Deux heures de pure panique s'écoulèrent ainsi. Martin se demandait si, même au risque de déplaire aux autorités françaises, Li-Tchen allait le remettre entre les mains du bourreau. Rien de plus facile que de se débarrasser ensuite du corps et de prétendre à quelque disparition.

Martin entendit enfin un bruit de pas approcher de sa cellule. Un garde fit tourner une clé et ouvrit la porte en la faisant grincer. Fou d'inquiétude, le prêtre vit une jeune femme entrer avec un plateau. Il entendit le garde refermer la porte. Martin était maintenant seul avec la jeune femme.

— Je m'appelle Nang Noy, dit-elle en souriant.

— Je croyais que vous étiez Nguoc, le bourreau.

Nang Noy fit une moue enjouée que le missionnaire interpréta comme un signe amical.

— Nguoc n'a aucune intention de faire le bourreau. Elle n'est pas très douée, répondit la femme dans un français fort acceptable.

Elle avait appris cette langue à Luang Prabang quelques années auparavant. Le prêtre la regardait sans comprendre qui elle était.

— Êtes-vous Nguoc ?

— Je suis à son service. Nguoc viendra vous voir un soir. Demain, ou une autre fois, je ne sais pas. Rassurez-vous, elle ne vous fera pas de mal. En attendant, Li-Tchen vous prie d'accepter ce repas.

Nang Noy déposa son plateau sur le plancher. Elle ne paraissait pas pressée de quitter la cellule. La jeune femme retira le couvercle des plats, présenta des baguettes à Launay, puis versa une partie du contenu de la théière dans une tasse qu'elle tendit au missionnaire.

À l'odeur, ce dernier comprit qu'il s'agissait d'une tisane. « Romarin », conclut-il tout en examinant le riz et le plat de poulet aux légumes. Un assaisonnement de miel et de cari accompagnait cet étrange repas de prisonnier.

La finesse de l'arôme du riz au jasmin lui fit oublier la prison. On lui servait un repas de luxe, non une pitance de détenu. Nang Noy, qui souriait encore, se versa une tasse de tisane. Elle sirotait son breuvage en encourageant Launay du regard. «Étrange pénitencier», jugeait le prêtre surpris par la subtilité du mélange de miel et de cari. À moins que ce ne soit là le repas du condamné, il devait envisager que Li-Tchen ait donné l'ordre de bien le traiter.

— Je dois veiller sur vous, annonça Nang Noy. Si vous avez besoin de quoi que ce soit, c'est à moi qu'il vous faut adresser vos demandes.

En quelques phrases, la douce geôlière fit comprendre au prêtre que la clémence de Li-Tchen dépendait de la bonne conduite du prisonnier. On lui demandait de se tenir à carreau durant deux semaines. Launay aurait le droit de sortir prendre l'air deux heures par jour dans la cour intérieure de la prison où il rencontrerait d'autres détenus.

Martin devait respecter les règlements et l'horaire de la prison. Il lui fallait se lever à sept heures, prendre tous ses repas en compagnie de Nang Noy, passer le balai en après-midi et se coucher à vingt-deux heures. Nang Noy lui expliqua qu'il devait passer la nuit enchaîné au lit.

— Pourquoi ?

— Vous verrez.

Angoissé par cette réponse, Launay tâcha de faire parler sa geôlière.

— Ne vous inquiétez pas, répliqua la belle servante. Personne ne vous fera le moindre mal. Vous avez ma parole.

— Et Nguoc, mon bourreau ?

— Vous n'avez rien à craindre. Vous n'êtes pas encore prêt à la rencontrer.

— J'ai soif, constata Martin.

— Vous avez droit à deux tasses d'eau par jour et à toute la tisane que vous voudrez. Je vais en chercher une autre théière.

La servante appela le gardien, quitta la cellule et y revint comme promis avec une grande théière remplie de tisane au romarin. Elle quitta ensuite les lieux, laissant Martin seul jusqu'à l'heure de la promenade.

Le prêtre ne comprenait rien à la situation. On lui flanquait une sentence de deux semaines à purger dans une geôle qui terrorisait les habitants de Muong Sé. Contrairement à ses appréhensions, on l'avait fort bien traité jusqu'à maintenant.

Martin colla son oreille contre le mur de la cellule. Il espérait entendre des bruits venant des autres détenus. N'entendant rien, il défit son soulier et en donna quelques coups contre le mur. Il frappait en code morse, déclinant ainsi son identité et les raisons de son incarcération. Personne ne répondit. Martin en fut intrigué.

En après-midi, le gardien ouvrit la porte de la cellule et conduisit le prêtre dans la cour intérieure de la prison. Une dizaine de détenus, tous des Orientaux, se promenaient avec nonchalance dans l'enceinte délimitée par une palissade. Personne ne présentait de signes de mauvais traitements. Un prisonnier d'une trentaine d'années s'avança vers Martin. Il engagea la conversation d'un ton affable :

— Le père Maizeret ne voulait pas sortir aujourd'hui. Il préférait attendre un peu avant de vous rencontrer.

— Il sait que je suis ici ?

— Évidemment.

— Êtes-vous chrétien ?

— Oui. Mais ici, c'est particulièrement mal vu.

— On vous a donc incarcéré à cause de votre religion ?

— Non.

L'homme partit rejoindre les autres. Launay préféra ne pas pousser les interrogatoires.

*   *   *

Quand il regagna sa cellule, Nang Noy l'attendait avec le repas du soir qu'elle avait préparé.

Aussi bonne que celle du midi, cette nourriture était de meilleure qualité que celle que mangeait le Laotien moyen. Sans en saisir les raisons, Launay comprenait qu'on lui réservait un traitement de faveur.

La *phou-sao* lui versait de la même tisane de romarin à laquelle il avait droit à volonté. Légèrement sucrée au miel afin d'en cacher le caractère amer, la tisane aux fleurs et aux feuilles de romarin apportait une touche exotique. S'il n'avait pas été incarcéré, le prêtre aurait sûrement apprécié l'originalité du breuvage.

On le laissa seul jusqu'à vingt-deux heures. Martin estimait que, dans les circonstances, la sentence de deux semaines pour entrée illégale sur un terrain interdit s'avérait clémente. Son sort aurait pu être pire.

Quand l'heure du coucher arriva, l'inquiétude regagna le missionnaire. Il entendit les pas du gardien. Le cerbère ouvrit la porte, avança tranquillement dans la cellule, puis rapprocha sa lampe de la figure de Launay. Le père oblat vit qu'un sourire énigmatique éclairait le visage du geôlier. Sans dire un mot, le gardien déposa sa lampe sur le plancher et défit les chaînes fixées au mur. Il entreprit d'attacher Martin aux montants du lit.

— Allons, ce n'est pas nécessaire, protestait le père oblat en entendant l'horrible cliquetis des chaînes. Je ne vais pas m'envoler durant la nuit !

— Ce n'est pas ce qu'ils craignent, fit Nang Noy en faisant irruption dans la cellule. C'est pour ma protection qu'on vous enchaîne.

— Je ne comprends pas.

— Une fois ficelé, vous ne pourrez pas me frapper.

— Je n'en ai jamais eu l'intention.

— C'est ce que nous verrons.

Le cerbère se retira. Enchaîné dans un cachot en compagnie de Nang Noy, Launay se demandait quel atroce traitement Li-Tchen lui réservait. Loin de jouer au bourreau, la jeune femme vint se coucher à côté de lui. Elle l'enlaça tendrement.

La *phou-sao* s'endormit rapidement. Launay avait craint qu'elle ne fasse exprès pour exciter ses sens. Nang Noy s'était contentée de quelques caresses presque innocentes mais étrangement troublantes avant de s'endormir.

* * *

Le lendemain se passa comme la première journée. Nang Noy venait lui apporter ses repas avant de le laisser seul jusqu'à l'heure de la promenade. Puis, repas du soir et nouvel instant de solitude. La *phou-sao* revint tard en soirée, après que le gardien eut attaché le prisonnier.

La deuxième nuit différait de la première. Nang Noy l'avait caressé plus longuement avant de s'endormir. Graduellement, Martin comprenait que cette jeune femme aux ordres de Li-Tchen avait comme mission de faire naître en lui le désir. Il sourit en pensant à la faiblesse du recours de la prière en de telles situations.

Au matin suivant, le prêtre devait admettre qu'il désirait cette femme. Mais où était le péché si la présence de Nang Noy lui était imposée ?

— Vous verrez le père Maizeret cet après-midi, annonça la *phou-sao* en quittant Launay.

Nang Noy partie, la cellule paraissait vide. Martin, à qui la prêtrise avait interdit de connaître la présence féminine, réfléchissait aux conséquences de cette étrange incarcération. Pourquoi lui tendait-on un piège aussi grossier ?

Quand la jeune femme revint à l'heure du midi, il s'aperçut à quel point elle lui avait manqué. Il aimait sa présence. Il se demandait combien de nuits chastes il pourrait encore passer à côté d'elle.

—Nang Noy, demanda-t-il soudainement, es-tu une voleuse d'âmes?

—Non, je ne suis qu'une servante.

—Tu as pourtant reçu comme directive de m'exciter les sens.

Elle répondit par une moue agréable. Ses yeux lui promirent que cette nuit serait encore plus douce que la précédente.

*   *   *

Comme le lui avait dit sa belle geôlière, le père Maizeret l'attendait dans la cour de la prison. Launay le reconnut tout de suite. L'ancien missionnaire de Muong Sé était vêtu d'une vieille soutane blanche, presque grise, percée en plusieurs endroits.

Maizeret accueillit sans plus de formalités l'homme que les oblats avaient dépêché au Nord sauvage, officiellement pour reprendre la mission de Muong Sé, officieusement pour retrouver le «disparu».

—J'ai beaucoup entendu parler de vous, fit Martin sans savoir comment aborder Maizeret.

—En mal, j'espère.

—On ne peut rien vous cacher.

Antoine Maizeret sourit. Un sourire triste, reflétant tous les regrets de l'âge mûr, lui adoucissait les traits. Avec sa barbe grise et ses cheveux en broussaille, Antoine Maizeret ressemblait à un chevalier dévoyé. Il regardait Launay en lui enviant sa joie de vivre, sa jeunesse, son innocence.

— Laissons donc mon cas de côté, fit-il avec son air d'homme brisé par la vie. Je préférerais qu'on parle de vous, Martin.

Launay avait envie de lui poser une avalanche de questions. Mais comme il arrive souvent aux hommes hantés par la peur, il voulait d'abord se faire rassurer sur la vie en prison. Li-Tchen l'avait bel et bien menacé de lui faire connaître le bourreau.

— Nous font-ils subir des supplices ? demanda-t-il au bord de la panique.

— Rassurez-vous, leurs « supplices » risquent bien plus de vous faire grogner de plaisir que de douleur. Leurs bourreaux ont le visage des anges !

— Je vous en prie, ne me laissez pas dans l'angoisse. Dites-moi tout.

— Ils cherchent à nous discréditer. Pourquoi croyez-vous donc qu'ils nous font boire leurs maudites tisanes ?

— Les tisanes de romarin ?

— Romarin et fines herbes ! Plus vous en buvez, plus vous désirez la *phou-sao* qui vous les sert, non ? C'est elle votre bourreau. Le supplice consiste à vous laisser languir de désir sexuel le temps qu'il faut pour annihiler votre volonté. Vous aurez les poignets attachés la nuit pour éviter que vous puissiez vous soulager. Allez, vous me comprenez.

— Et que nous arrive-t-il après ? demanda le jeune père encore inquiet.

— Quand la *phou-sao* vous sentira bien mûr, elle vous demandera affectueusement si vous voulez connaître la douceur de son corps. Ensuite, quand vous en aurez pris le goût, ce sera à vous de lui demander.

— Jamais je ne lui demanderai. Je prierai Dieu, je vous jure que…

— Ne jurez de rien. Ces gens-là sont patients. Tôt ou tard, vous flancherez, tout comme moi.

— Comme vous!

— Il y a longtemps que je ne porte plus les menottes.

— Vous laissez les mains de cette sorcière vous souiller, vous, un prêtre, vous ne contrôlez pas votre concupiscence…

— Vous n'avez aucune idée de leurs méthodes.

— Évidemment, s'ils nous droguent…

— Imbécile! Ils nous réchauffent un peu au romarin au début du traitement. C'est d'ailleurs une de leurs ruses pour nous faire dire: «J'étais drogué!» La belle affaire quand la drogue en question s'avère aussi inoffensive. Ce sera la *phou-sao,* votre drogue. Vous ne lui résisterez pas longtemps.

— Dieu me soutiendra.

— Dans cette affaire, sachez que Dieu n'a aucune intention de vous soutenir.

— Vous blasphémez.

— Avant même de venir au Laos, vous aviez déjà entendu parler de la beauté de leurs femmes. Dans le fond de votre cœur, vous savez que vous êtes venu ici dans le fol espoir de les connaître. Sinon, pourquoi avoir choisi le Laos?

—L'attrait de l'Orient.

—Bien sûr, vous vouliez évangéliser les pauvres! Ne vouliez-vous pas aussi vous frotter aux pauvresses? Il aurait mieux valu qu'on envoie ici des pédérastes!

—Mais enfin, vous êtes prêtre. Comment osez-vous parler comme les païens…

—Les païens, les païens! Ne parlez donc pas de ce que vous ignorez.

Le reste du temps alloué à la promenade se poursuivit sur le même ton. Launay faisant grand cas de son intention de résister à la *phou-sao*, Maizeret insinuant qu'il s'était déjà compromis.

Cette première rencontre entre les deux prêtres laissa un goût amer à Martin. Lui qui avait tant souhaité cet instant de retrouvailles en était réduit à protester de ses bonnes intentions. Il se promit de faire meilleure figure à la sortie du lendemain. Il devait d'abord trouver le moyen de résister aux avances de Nang Noy. « Faux problème, se dit-il en s'imaginant se rassurer. Si je chute, ce ne sera pas par ma volonté. Li-Tchen peut m'imposer la présence de sa catin, jamais je ne lui demanderai ses faveurs. »

L'homme ignore ses limites, le prêtre encore plus que les autres. En pensée, rien ne lui résiste, en actes… Il s'agit d'un regard trop appuyé, d'une moue équivoque, d'une main trop douce pour se rendre compte que tout ce qu'on appelle retenue, raison, devoir, discernement, libre arbitre et ferme propos ne forment qu'un mirage face à la tyrannie du désir sexuel. Launay ne le savait pas encore.

Là, au fond du cœur du prêtre, Nguoc avait tendu son piège. Car si le père oblat pouvait résister encore quelques heures à Nang Noy, il baisserait sûrement les bras devant la voleuse d'âmes.

« Qui donc est Nguoc ? » se demanda Martin quand le garde le reconduisit à sa cellule.

Pourquoi cette question ? Il savait trop bien qui l'attendait en ces lieux. Depuis toujours, avant son ordination, peut-être même avant sa naissance, l'âme de cette sirène l'attendait ici au fin fond du Nord sauvage.

Il souhaitait ardemment que son intuition soit la bonne.

CHAPITRE QUINZE
La voleuse d'âmes

Muong Sé. Laos, 1948.

Une chandelle parfumée perçait la noirceur de la cellule. Martin observait la flamme danser contre le mur gris quand un bruit le fit sursauter. Nang Noy, qui s'était fait ouvrir la porte, venait d'entrer. Elle affichait cet air de tranquille sensualité qui plaisait tant au prêtre. Il aurait voulu la voir en démon, mais la douce joie de vivre de la *phou-sao* inspirait confiance.

—Vous pourrez revoir votre confrère, fit-elle d'un ton légèrement blasé. Ayez confiance, le maître ne veut pas vous retenir trop longtemps.

—Serait-il possible que je quitte cette prison avant la fin de ma sentence ?

—Si le maître en décide ainsi.

Nang Noy lui fit une œillade complice. Elle déposa la carafe de tisane près du lit sur lequel on enchaînerait bientôt le prêtre. Launay reconnut l'odeur du romarin.

—Je ne veux plus de cette tisane !

—Il faut boire.

—Faites-moi boire de l'eau.

—Je vous donnerai deux tasses d'eau pour chaque tasse de tisane que vous boirez avec moi !

—Je préfère mourir de soif.

Nang Noy appela le gardien. D'un geste de la main elle lui fit comprendre de ne pas attacher le prisonnier. La *phou-sao* jeta un dernier regard au missionnaire et se retira de la pièce.

Quelqu'un d'autre entra. Malgré la pénombre, Launay savait que c'était Nguoc. Il l'avait reconnue à son parfum d'ylang-ylang.

— Pourquoi choisir une mort aussi affreuse, Martin? Ma présence vous est-elle cruelle à ce point?

Launay connaissait cette voix. Depuis la première fois qu'il l'avait entendue, il y avait repensé chaque jour. S'il interrogeait son cœur, il savait que depuis Luang Prabang il avait souhaité que Mi-tchéou soit Nguoc.

— Que faites-vous ici? demanda-t-il à Mi-tchéou.

— Vous le savez bien. Ce vide que vous ressentez depuis votre naissance ne peut être comblé que par moi.

— Qui êtes-vous?

— Votre trente-troisième âme. Je vous l'avais dit au *bacci*.

Elle alluma une deuxième chandelle afin d'éclairer la cellule. Mi-tchéou affichait une expression suave rehaussée par des yeux un peu moqueurs. À cet instant, le missionnaire se rendait compte qu'il ne l'avait jamais vue si attirante. Quand elle avait prononcé son nom, il avait ressenti un pincement au cœur. Personne n'avait encore dit « Martin » avec tant de douceur. Il avait envie d'elle, à quoi bon nier?

« Dieu me soutiendra! » Tu parles d'un beau soutien.

Le regard énigmatique de la femme allait du lit aux chaînes fixées contre le mur.

—Vous n'en aurez pas besoin cette nuit. Je vois à votre visage que le père Maizeret vous a mis en garde. Auriez-vous peur de moi?

Il n'y avait que deux attitudes possibles. Tempêter, insulter cette femme, jurer et hurler des imprécations. Ou, au contraire, se laisser porter par l'émotion, avouer son amour, son désarroi et pleurer contre les seins de cette femme. Que souhaitait Dieu, que souhaitait le prêtre, que souhaitait l'homme?

Mi-tchéou savait trop bien ce que voulait l'homme. Était-il vraiment coupable? On lui faisait ingurgiter des tisanes aphrodisiaques contre son gré. Nguoc gardait sa main sur l'épaule de Launay. C'était le même contact mystérieux que celui du *bacci*.

—Vous ne pourrez jamais dormir ainsi, fit-elle en se rapprochant de lui.

Le prêtre s'attendait à la question fatidique. Si elle lui avait demandé explicitement, il aurait peut-être pu dire non avant de succomber. Dans sa tête, il préparait un discours manipulateur. «Je ne voudrais pas aller à l'encontre de vos coutumes, mais je ne peux accéder…»

Mi-tchéou n'avait encore rien demandé. Elle lui adressait un regard de connivence. Elle prit la main de Martin dans la sienne, la porta à sa poitrine et lui dit:

—Tu savais que je t'attendais ici.

—Oui, répondit Martin, qui ne désirait plus lutter.

—Tu le savais depuis Luang Prabang.

—Oui.

*   *   *

La présence de Mi-tchéou à Muong Sé n'avait rien de surnaturel. Aux premières heures du matin suivant la cérémonie du *bacci* de Luang Prabang, elle était partie pour le Nord sauvage en compagnie de voyageurs Hmongs. Elle avait toujours eu quelques heures d'avance sur le groupe de Launay. Quand le missionnaire était arrivé à Houei Tha, Mi-tchéou et les siens étaient déjà en route pour Muong Sé.

Fille d'une famille de trafiquants Hmongs, Mi-tchéou trempait dans le trafic de l'opium au-delà de toute rédemption possible. Ses activités illicites ne l'empêchaient nullement d'être sentimentale et rassurante. Peu importe ce qu'on en pensait, le pardon des offenses s'imposait face à une telle femme. Elle était si belle que les hommes lui pardonneraient n'importe quoi.

*   *   *

On n'attire pas les mouches avec du vinaigre, de même on ne fait pas chuter un prêtre avec un laideron. Jusqu'à maintenant, Martin s'était imaginé Nguoc en sorcière. Il avait oublié le piège de la beauté. Pour lui, comme pour trop d'hommes, beauté et bonté allaient de pair. L'âme masculine refuse de voir le Mal sous les dehors d'un ange au teint de porcelaine. Belle comme seules les païennes savent le devenir, Mi-tchéou avait la grâce d'un ange.

Rouge d'Orient

— Sais-tu pourquoi tu m'aimerais même si j'étais Nguoc ?

— Parce que mon cœur te connaît depuis toujours, répondit le missionnaire en espérant impressionner la *phou-sao* par cet aveu.

— Parce que le mystère de l'amour est plus grand que celui de la mort, annonça-t-elle avec une expression un peu triste qui la rendait encore plus attirante.

C'était une réponse à la Mi-tchéou avec son mélange de charme et de fatalisme. En lui parlant, elle s'était rapprochée du prêtre. Launay constata que l'envie de la chaleur de cette femme prouvait l'amour, exactement comme la soif prouvait l'existence de l'eau. Mi-tchéou souffla les chandelles, laissant sa chaleur éclairer l'âme de Martin.

Ce fut une nuit de fautes, de péchés et de compromissions ; une nuit tropicale, une nuit d'Orient. Ces instants d'éternité réconciliaient Martin avec la vie. Mi-tchéou le consolait d'être venu au monde, elle lui permettait d'apprivoiser l'idée de la mort. Le contact de cette femme chassait les démons. Combien de temps lui avait-il résisté ? À peine quelques minutes. Surpris de découvrir le sens de la vie qui lui avait toujours échappé, Launay s'endormit enfin dans les bras de la voleuse d'âmes.

*   *   *

À l'heure de la promenade du lendemain, il tenta de s'en confesser au père Maizeret.

— Père, j'ai péché.

—Vous n'avez pas traîné. Moi qui croyais que vous tiendriez encore trois jours, ou plutôt trois nuits, je suis un peu surpris de la rapidité de votre chute.

—J'ai péché.

—Ne venez pas me beugler votre repentir la figure ainsi épanouie! Vous puez le bonheur, Martin.

—Je ne sais si Dieu me pardonnera d'avoir cédé à la chair au lieu d'éclairer ses brebis du Laos.

—Mais comprenez donc que Dieu se torche du Laos! coupa le père Maizeret avec une bonne humeur contagieuse.

—Il l'a laissé entre les griffes de Satan.

—Il l'a plutôt abandonné à Bouddha. Il a offert ce beau pays aux bonzes, aux catins et à l'opium!

—Il l'a laissé à Mi-tchéou.

—Vous l'aimez? Elle était donc votre première femme. Mi-tchéou est une catin romantique. Ni sorcière, ni vraiment malfaisante, mais rusée comme cela ne devrait pas être autorisé.

—Habile, oui.

—Vous ne connaissez rien de cette femme. Vous pouvez encore négocier avec votre conscience. Vous vous dites: «J'étais drogué, je l'aimais, elle m'a ensorcelé.» Bercez-vous donc d'illusions, ça ne saurait durer. Je la connais, moi, votre Mi-tchéou. Attendez de voir ce qu'elle vous prépare.

—Me fera-t-elle mal?

—Ne craignez rien pour votre corps, elle ne vous fera jamais le moindre mal.

— Que peut-elle donc vouloir de plus ? Je suis déjà compromis. J'ai chuté.

— Vous verrez.

— Je vais lui faire face ! À partir de maintenant, peu importent les conséquences, je ne bois plus une seule goutte de tisane.

— Vous n'en avez plus besoin.

— Et si elle s'approche de moi, je la giflerai, moi, votre catin lubrique.

— Vous en serez incapable.

*   *   *

C'était en effet sous-estimer la catin lubrique. La nuit suivante, Mi-tchéou fit remettre les menottes au père Launay.

— Pour mieux apprécier votre séjour, lança-t-elle d'un air léger.

— Vous avez su par le père Maizeret que je comptais désormais résister à vos avances. Bien sûr, si vous me menottez…

— Les chaînes ne sont pas pour moi.

— Pour Nang Noy alors ?

— Si vous y tenez. J'ai pourtant mieux à vous offrir.

Le prêtre ne comprenait plus rien. Que lui voulait-on cette fois ? Quand Mi-tchéou quitta la pièce, Martin croyait qu'elle lui enverrait Nang Noy. Au lieu de sa geôlière habituelle, le missionnaire vit entrer une fillette d'une douzaine d'années. Elle vint se blottir contre lui avec tant de science que le père oblat comprit enfin la nature de l'épreuve que Li-Tchen comptait lui faire subir.

Le potentat voulait que, de compromissions en compromissions, le missionnaire finisse par être habité par le vice des fillettes. Au début, on lui imposerait la présence des jeunes catins. Par après, il deviendrait un prêtre de carnaval tenant double langage. Pasteur tout en bondieuseries le jour, bohème salace la nuit.

— Voulez-vous connaître la douceur de mes lèvres ? demanda la très jeune fille.

Surpris par la question, Martin ne sut rien répondre. Il demeura figé tant il ne s'attendait pas à cette suggestion. Il n'était pas sûr d'avoir bien compris. Il avait déjà entendu parler de ces femmes qui faisaient « ça » avec leur bouche. Il s'était imaginé des femmes mauvaises, dures, débauchées qui, semblables aux putains de Babylone, avaient endurci leur cœur contre tout sentiment humain.

Il se surprit de son propre fanatisme religieux mêlant son désir sexuel à la malédiction divine s'abattant sur Babylone. Cette fille n'avait pas l'air d'une perverse, encore moins celui d'un être au cœur de pierre.

« Les religieuses ont un cœur de pierre », se dit Launay sans savoir comment cette réflexion avait fait son chemin dans sa tête. L'hésitation que la fille interpréta comme un assentiment provoqua quelques secondes de flottement. Ces cinq ou six secondes décidèrent de la chute du prêtre.

*   *   *

Pendant que la *phou-sao* le travaillait avec un art surprenant chez une aussi jeune fille, l'esprit du missionnaire voguait vers des considérations fort éloignées de son péché. Il se remémorait que, selon la tradition biblique, ce n'était pas le pharaon qui s'était endurci le cœur, mais plutôt Dieu qui avait endurci le cœur du pharaon. Étrange réflexion chez un homme ressentant pour la première fois de sa vie les sensations provenant d'une exquise perversion qui jetait par terre tout raisonnement philosophique.

La *phou-sao* sortit une clé des vêtements qu'elle avait conservés. Elle prit l'initiative de défaire les chaînes du prisonnier afin que Martin ne puisse plus se cacher derrière l'excuse du traitement imposé contre son gré. Il comprit la signification de cette libération et accepta d'avance les conséquences de son péché.

Que valait le libre arbitre face à la tyrannie d'une *phou-sao*? Qui diable avait prétendu que Dieu ne soumettait jamais l'homme à une tentation trop forte pour lui?

«Ces maudites païennes excitent nos sens, elles nous rendent faibles.» Malgré sa honte, il ne put s'empêcher de sourire. Il s'imaginait lancer des «Je ne suis pas digne.» Il repensait aux athées de Houei Tha, ceux qui appelaient les chrétiens le «club des indignes». Et comment réagirait son collègue, ce Maizeret qui devait déjà se pourlécher les babines d'anticipation puisque rien n'est plus agréable que la chute du juste.

— Avez-vous apprécié votre supplice ? demanda la jeune catin qui ignorait tout des pensées secrètes du prêtre.

— Vous n'aviez pas le droit, répliqua mollement Martin.

— Vous rencontrerez le maître bientôt.

— Li-Tchen veut-il me châtier pour ma conduite ?

— Le maître vous aime bien, ayez confiance.

*   *   *

On le tira du cachot en dépit de l'heure tardive. Li-Tchen l'attendait dans ses appartements situés dans l'édifice même de la prison. Car le potentat, qui appréciait la vie de palace à Muong Sé, aimait aussi les nombreux pavillons de ses terres personnelles, y compris celui de la prison.

— Mettez-moi plutôt au supplice, lança Launay tout en sachant que la demande ne reflétait pas réellement sa pensée. Ce que vous faites est ignoble.

— Quel appétit du chevalet vous travaille donc le ventre, chaman en soutane ? Au supplice, vraiment ?

— Je suis prêt à mourir pour ma foi.

— Et nous aurons l'armée française sur les bras. Si je fais des martyrs, vos conversions grimperont en flèche. Je vous l'ai déjà dit : je vous veux vivant, père Martin, vivant et en bonne santé.

— Vos méthodes sont inadmissibles. Même Bouddha désapprouverait.

—Je vois mal un dieu inexistant désapprouver ma conduite. Vous seriez-vous déjà converti à notre façon de voir le monde ? Avouez que les caresses de Mi-tchéou et de ses jeunes amies valent mieux que les tortures de votre Inquisition. Ou serais-je mal renseigné sur l'histoire de votre Église ?

Sa politesse exquise, raffinée, riche en sous-entendus, exaspérait le prêtre. Martin se savait à la complète merci de ce satrape.

—Vous orchestrez toute cette comédie afin de nous discréditer.

—Vous discréditer, oui. Ce n'est pourtant pas une comédie. Allons, je vais me montrer beau joueur. Quittez le Laos, partez demain et laissez derrière vous cette pitoyable mission. Je vous fais grâce du reste de votre sentence. Retournez dans votre pays. Dites ce que vous voulez à vos compatriotes, mais cessez de nous en expédier. Partez, chaman en soutane.

—Sinon ? répliqua Martin la voix pleine de défi.

—Je vous ferai connaître nos supplices ! Tant pis pour les réactions des autorités françaises.

Li-Tchen redevenait le Fu Manchu des stéréotypes du missionnaire. Il revêtait l'habit de l'Oriental cruel, trempant les chrétiens dans l'huile bouillante ou les hachant menu avant d'en lancer les morceaux aux chiens de Muong Sé.

On reconduisit Launay à sa cellule. Dans les ténèbres de la pièce, Martin s'imaginait que Dieu le soutiendrait dans l'épreuve. Il croyait pouvoir résister aux supplices.

Le prêtre repensait à son face-à-face avec Li-Tchen quand un bruit de clés le remplit d'inquiétude. Mi-tchéou se faisait ouvrir la porte par le gardien.

— Le maître vient de rendre sa sentence, fit-elle d'une voix neutre.

— Alors ?

— Cinq jours de torture, avec le meilleur bourreau et deux de ses aides.

— Fort bien.

Dans un murmure elle ajouta :

— C'est moi le bourreau.

Rusait-elle ? Voulait-elle se moquer de lui ? La main de Mi-tchéou qui s'attardait contre sa figure lui fit comprendre qu'il n'avait rien à craindre.

*   *   *

Ces cinq jours furent les plus heureux de sa vie. À son plus grand désarroi, le missionnaire était habité par le démon de la luxure. Avec sa grâce habituelle, Mi-tchéou l'avait initié au vice des fillettes. Au début, elle l'avait obligé à porter les chaînes. Très vite, elle les lui avait retirées, laissant le prêtre succomber aux charmes des jeunes bourreaux.

Le sixième jour, les gardiens ramenèrent le prêtre dans les appartements privés du potentat. Ils souriaient de connivence, clignant de l'œil afin de faire comprendre que les exploits du père se chanteraient bientôt dans tout Muong Sé.

— Vous vous décidez à partir, ou dois-je encore ordonner une séance de supplices ?

Rouge d'Orient

C'était le choix que lui proposait Li-Tchen. Le départ ou le discrédit total. Launay, qui se sentait coupable, négociait avec sa conscience. Il avait chuté tout en y étant obligé.

— Faites ce que vous voulez de moi. Je suis à votre merci.

— Oh! Oh! C'est qu'il y prend goût notre missionnaire. Je m'attendais à de véhémentes protestations!

Moqueur et particulièrement suave, le potentat ajouta sur le ton de la complicité :

— On m'a répété que les fillettes murmuraient «petit bouc lubrique» en parlant de vous. Si j'ordonne une nouvelle séance, Launay, je ne pourrai empêcher vos bourreaux de décrire à nos braves villageois l'étendue de vos compromissions.

— Les Khamus tremblent de peur devant vous. Ils riront de moi si vous leur en donnez l'ordre.

Les yeux de Li-Tchen pétillèrent de ruse. À cet instant, on aurait dit un satrape oriental sûr de son pouvoir sur les autres.

— Effectivement, ces bouseux ont peur de moi. Le véritable pouvoir consisterait donc à les conduire à se moquer de vous sans avoir à leur en donner l'ordre.

Le prêtre, qui jusqu'à maintenant avait sous-estimé Li-Tchen, reconnaissait en cet homme l'intelligence de Satan orchestrant la chute du juste. Le démon tentateur sachant d'avance quel genre d'attaque psychologique vous lancer se tenait devant lui avec son habit vert brodé d'or. Ses mains gracieuses étaient celles d'un lettré refusant de s'abaisser aux travaux de la terre. Son regard brillait de l'étincelle des gens d'esprit avec qui on pouvait discuter. Il y avait chez Satan un charme équivoque qui risquait de séduire si on répondait à son regard.

Le prêtre fixa le diable dans les yeux. Il y lut l'intention malicieuse teintée d'une nuance de compassion. Le mélange le surprit.

— Il y a moyen de faire taire ce désir, susurra le démon en habit vert.

— Comment ?

— Demandez-le au père Maizeret.

*   *   *

Maizeret devenait de plus en plus étrange. Il riait sans raison, allant même parfois jusqu'à se gausser de sa déconvenue en Chine. « Ils ont cru aux mensonges du Seigneur ! » laissait-il tomber en se tapant les cuisses. Martin croyait que la raison du père flanchait.

Le père Maizeret avait transformé son remords en cynisme. Il ne s'accusait plus d'avoir causé la perte des chrétiens de Muong Sé. Il blâmait plutôt Jésus d'avoir abandonné les siens. Si Dieu avait préféré la cause de Mao à celle de son Église, qui donc blâmerait le prêtre d'endormir sa conscience au *laoun*, de la faire frémir à l'opium ou de la réchauffer au contact des filles ?

— Ils auraient dû me fusiller avec les autres, plaidait le vieux missionnaire. Dieu a voulu que je revienne de ce gâchis, tant pis pour lui ! Oui, père Launay, je m'obscurcis le jugement à l'opium après m'être vautré dans la débauche. J'ai honte de Jésus qui nous a si bien laissé tomber! Alors tant pis pour lui, tant pis pour son Église et ses maudites ouailles de ce foutu pays.

—Ressaisissez-vous, Maizeret! Nous sommes des cœurs de feu, non des chiffes molles.

—Ah! Jeunesse! Quel optimisme imbécile vous travaille donc le ventre? Des cœurs de feu? En vérité, regardez-vous, Launay. C'est le haut de chausse que vous avez en feu!

Maizeret riait.

—Le haut de chausse, le haut de chausse! répétait-il en s'esclaffant.

—C'est honteux.

Le vieux missionnaire reprit son sérieux. On devinait la profondeur de son désarroi. La blessure causée par ce qu'il considérait comme une trahison divine ne se cicatriserait jamais.

—Père Maizeret, demanda Martin avec ménagement, il y aurait donc moyen de se défaire des désirs charnels?

—Fumez l'opium, l'appétit des femmes quittera graduellement votre pensée.

—L'opium! Si vous pensez que ces gredins vont réussir à me droguer.

—Les gredins ne tenteront rien de ce genre. Si vous voulez de l'opium, demandez-en à Mitchéou. Elle vous initiera.

—Je vais prier pour vous. Que Dieu ait pitié de vous.

—Il aurait dû prendre pitié de ses propres croyants. Dieu a abandonné ses convertis!

—C'est vous qui les avez embarqués dans cette galère.

—J'allais annoncer la Bonne Nouvelle dans la nuit rouge. Dieu a préféré soutenir les athées de Mao. Je ne me fais plus d'illusions, Martin. Tout s'écroule autour de nous. D'ici deux ans, la révolution communiste aura triomphé en Chine. D'ici dix ans, le Sud-Est asiatique entier basculera dans la tourmente.

— Je ne veux pas parler de politique.

— J'oubliais, vous êtes amoureux.

Launay aimait-il Mi-tchéou ? Il ne le devait pas, il n'avait aucun droit à ce genre d'amour. La belle manipulatrice s'était moquée de lui. Comment pouvait-il aimer un être aussi abject ?

CHAPITRE SEIZE
Le mystère de l'amour

Muong Sé. Laos, 1948.

Le soir suivant, Launay gifla Mi-tchéou. Il le fit sans prétexte immédiat, signifiant ainsi qu'il refusait d'aimer sa prétendue trente-troisième âme. La réaction de la jeune femme surprit le missionnaire. Elle lui tendit l'autre joue.

— C'est bien ce qu'on vous dit de faire, susurra la catin. Tu peux frapper, je ne compte pas me défendre.

— Que veux-tu de moi, Mi-tchéou?

En prononçant son nom, Martin ressentit un pincement au cœur. Contre tout bons sens, il aimait cette femme. Mais cette pécheresse le bouleversait. Il se dit qu'elle devait être la marionnette du potentat de Muong Sé.

— Approuves-tu le rôle que Li-Tchen te fait jouer?

— Je suis à son service.

— Tu es un être humain, doté d'une âme que Dieu t'a donnée. Fais semblant de lui obéir et déjouons Li-Tchen.

— Pourrais-tu m'aimer?

— Que sais-tu de l'amour?

— Tout!

— Je ne te parle pas de l'amour physique. Que sais-tu du lien qui unit deux âmes?

— Tout.

Martin soupira. La drôlesse racontait n'importe quoi. Mi-tchéou mit la main sur son épaule.

—J'ai des secrets d'amour, lança-t-elle avec sa tranquillité coutumière. Je vais en partager un avec toi. Il y a ici une âme qui compte sur moi. C'est une petite vie très précieuse. Je lui viens en aide.

—Un enfant ?

—Un écureuil.

—Ce n'est pas de l'amour, fit le prêtre déçu.

—Oh oui! C'est de l'amour. Je le remercie, il me permet de faire de bonnes actions. Bouddha a dit de faire preuve de compassion envers les animaux. Toute vie est souffrance, non? Ce petit animal a confiance en moi. Te rends-tu compte? Cette âme compte sur moi. Parfois, je me dis qu'il m'a beaucoup appris.

—Les animaux ne peuvent rien nous apprendre.

—Te souviens-tu d'un prêtre qui tremblait de peur assis là, sur ce lit de métal? Les premières fois, l'écureuil aussi avait peur de moi. Peut-être me prenait-il pour une sirène du Mékong cherchant à lui voler son âme.

Rien dans sa formation de prêtre n'avait préparé Launay à ce genre de discussion. S'il pouvait présenter des arguments logiques en réponse à l'athéisme, il se retrouvait démuni face au langage de l'amour. Le prêtre s'était imaginé ce sentiment si grandiose que seules des paroles extraordinaires réussiraient à le traduire. Avec Mi-tchéou, la dernière des banalités faisait grandir l'amour qu'il ressentait pour elle. Martin l'imaginait en train de nourrir l'écureuil. Il l'en aima davantage. Il était sur le point de lui avouer quand la geôlière parla à nouveau :

— Martin, Martin, murmurait-elle avec de la passion dans la voix. Un jour tu deviendras vieux. Tu imploreras ton Dieu de t'accorder la grâce de te retrouver ici, dans ce cachot avec moi. Ta prière a été entendue puisque tu n'es ni vieux, ni même âgé. Tu as toujours voulu me connaître. Ton âme me cherche depuis ta naissance. Je doute qu'il y ait une nouvelle chance. Vois-toi âgé, vois la vie qui s'éloigne de toi. Tu pleures. Tu supplies ton Dieu de t'accorder une heure avec moi. Une heure, et toute ta vie aura eu un sens. Cette chance, tu l'as Martin. Tes supplications ont été entendues, puisque tu es aujourd'hui avec moi.

La structure émotionnelle du missionnaire tremblait devant ces propos. Launay repensait à ce qu'avait dit Maizeret : « Mi-tchéou est une catin romantique. Ni sorcière, ni vraiment malfaisante, mais rusée comme cela ne devrait pas être autorisé. »

À quoi bon lutter puisqu'il l'aimait ? N'était-elle pas aussi créature de Dieu ? Il fut à deux doigts de dire à Dieu : « Que votre volonté soit faite ». Aussi bien dire : « Et laissez-moi donc connaître la débauche puisque, comme saint Augustin avant moi, j'aimerais remettre à plus tard mon appétit pour la sainteté. »

Il ne se comprenait plus. Il chutait si facilement et avec un bel enthousiasme. S'il devait se confesser de sa faute, comment s'en accuser devant le père Maizeret qui s'était à toutes fins utiles excommunié lui-même ?

Après une nouvelle nuit d'amour dans les bras de Mi-tchéou, Martin fut conduit aux appartements de Li-Tchen. Le potentat déciderait de son sort. Que valait le libre arbitre quand d'autres prenaient les décisions à votre place ?

Affable, Li-Tchen annonça son verdict :

— Vous êtes condamné à trois nouvelles semaines de cachot.

— Pour quel motif ?

— Vous avez frappé Mi-tchéou.

— Vous devez savoir ce qu'elle m'impose. Elle me force à lui céder pour ensuite me dénoncer. Belles méthodes.

La figure de Li-Tchen s'illumina. Ses yeux qui pétillaient de ruse parlaient au prêtre. Ils lui faisaient comprendre que la belle manipulatrice l'avait dénoncé dans le but de le retenir à Muong Sé.

— Elle vous aime, Launay. Si vous persistez à la frapper, je devrai en conclure que vous comptez me fournir en prétextes pour vous garder ici. Restez donc si le cœur vous en dit, mais je vous somme de ne plus frapper ma servante.

— Par quel chantage est-elle votre esclave ?

— Esclave, quel vilain mot. Je la tiens captive par un métal plus fort que celui de vos chaînes : l'or.

— Une putain... j'aurais dû m'en douter.

— Ne la jugez pas trop sévèrement. Avec l'argent qu'elle gagne avec moi, Mi-tchéou vient en aide à sa famille.

L'heure de la promenade arriva plus tôt cette journée-là. Dans la cour intérieure de la prison, Launay remarqua des expressions de dérision accrochées au visage des détenus. Dans leurs regards, il lisait des reproches mêlés de grivoiserie. « Ce bouc lubrique fait encore jig-a-jig avec la *phou-sao* », semblaient répéter ces hommes. Li-Tchen les avait sûrement renseignés sur les exploits du missionnaire.

Alors qu'il regardait par terre afin de se soustraire au mépris des autres, Launay sentit quelqu'un le prendre par le bras. C'était Antoine Maizeret.

Sur son insistance, le vieux père lui parla de Mi-tchéou. Martin apprit ainsi que la jeune femme qu'il aimait était Hmong et que sa famille trempait dans le trafic d'opium depuis des lustres. D'après ce qu'il pouvait comprendre, Li-Tchen avait expédié Mi-tchéou à Luang Prabang dans le seul but de le piéger au *bacci*.

— Li-Tchen vous craint, assura Maizeret. Tant que j'étais le chrétien en chef, il ne s'intéressait guère à la mission. Mon fiasco en Chine m'a beaucoup trop compromis. Dans l'optique des trafiquants, vous êtes beaucoup plus dangereux que moi. Ils vous épient depuis Luang Prabang.

Launay se fit confirmer que Keng Chane, Mi-tchéou et le commandant Desmoulins comptaient parmi les plus grands trafiquants du Laos. Le problème se compliquait du fait que Keng Chane était un jeune homme respectable, que tout le monde aimait Mi-tchéou et que personne n'oserait avancer de preuves contre Desmoulins.

— À votre avis, père Maizeret, pourquoi Keng Chane a-t-il abouti chez les chrétiens ?

— À vue de nez, je dirais que Li-Tchen a probablement jadis demandé aux parents de ce demi-Hmong d'expédier le jeune Keng Chane chez les catholiques.

— Dans quel but ?

— Les trafiquants tentent depuis longtemps de se faire des amis dans la communauté européenne. On retrouve des magouilleurs en bon termes avec les fonctionnaires français, les militaires, les agnostiques et même les chrétiens. Rien de tel qu'un trafiquant chrétien pour détourner les soupçons. Bien que je ne puisse vous le prouver, je dirais que Li-Tchen a promis aux parents de faire la fortune de Keng Chane. Ce serait dans la mentalité des roitelets de l'opium.

— Habile. Et Mi-tchéou ?

— La trafiquante parfaite. Tout le monde l'aime. Il y a néanmoins une faille dans son jeu. La drôlesse s'est piégée elle-même. Elle vous aime, Martin.

— Je ne peux pas accepter cet amour.

— Vous l'avez déjà accepté. Cessez donc de vous raconter des histoires.

— Que va-t-il m'arriver ?

Antoine Maizeret était assez familier avec l'âme laotienne pour deviner les intentions de Li-Tchen. Il expliqua à Launay qu'on le libérerait dans trois semaines. Rien ne serait plus pourtant comme avant. Chacun saurait son amour pour Mi-tchéou, chose qui ne scandaliserait pas, mais qui réduirait à néant tout prêchi-prêcha sur le péché de la chair. Entre-temps, Keng Chane, Xuyen et Champa seraient repartis vers Houei Tha, ce qui forcerait Launay à demeurer à Muong Sé en ne connaissant presque personne de la région.

— Ne comptez plus sur la médecine pour vous apporter des conversions. Depuis votre arrestation, Champa s'occupe de la clinique.

— Il n'y connaît presque rien.

— Détrompez-vous. Ses connaissances égalent les vôtres. S'il ne vous en a rien dit, c'est par omission volontaire. Champa soigne afin que tous comprennent que la science moderne, et non le Dieu chrétien, assure les guérisons. Quand vous reprendrez la direction de la clinique, Champa sera reparti. Son enseignement demeurera bien longtemps présent dans les cœurs des villageois. Souvenez-vous que c'est lui, et non vous, qui a tenu tête aux *phis*.

Launay se défendit mollement. Bien qu'il comprît le piège qui se refermait sur lui, il comptait mettre fin à tout contact avec Mitchéou dès sa sortie de prison.

— Vous l'aimez, Martin. Vous sortirez de prison quand Li-Tchen sera certain que vous ne pouvez plus vous passer de la présence de la belle *phou-sao*. À voir votre regard, ça ne saurait tarder !

— Père Maizeret, demanda brusquement Launay en changeant de sujet, sous quel prétexte Li-Tchen vous garde-t-il prisonnier ?

— Aucun. Il me laisserait partir si je lui demandais.

— Pourquoi restez-vous ? Partons ensemble dès ma sortie de ce trou à rats. Je vous reconduirai jusqu'à Luang Prabang. Ensuite, je reviendrai m'occuper de la mission de Muong Sé.

—Je suis opiomane, Martin. De toute façon, j'ai si honte de ma conduite… Là-bas, en Chine, j'ai envoyé des chrétiens à la mort. J'ai beau blâmer Dieu, je suis le seul responsable.

Plus triste que jamais, Maizeret ne tentait même pas de donner le change.

—Depuis, ajouta-t-il en s'apitoyant sur son sort, j'ai endormi ma conscience en m'imbibant d'alcool. Je me suis ensuite vautré dans la débauche pour finir dans les bras de l'opium. Je ne suis plus rien.

—Ils vous ont drogué.

—J'y suis venu de mon plein gré. Ils m'approvisionnent gratuitement en prison.

—Partez avec moi, il faut vous faire désintoxiquer.

—Et vous, père Launay, souhaitez-vous vous faire désintoxiquer de leurs femmes ? D'ici un mois vous serez devenu un redoutable satyre. Si vous refusez l'amour de Mi-tchéou, ils placeront dans votre âme le vice des fillettes.

—Ils veulent un discrédit total. Je ne suis pas digne.

—C'est ce qu'ils veulent entendre, Martin : « Je ne suis pas digne. » Vous verrez alors les sourires d'approbation de ces bons bouddhistes ricanant : « Mais oui, un indigne. Ne le contredisons pas. Ce prêtre étranger a jugé lui-même qu'il ne valait pas la semelle de ses souliers. »

Rouge d'Orient

*　*　*

De même qu'il existe un mal qu'on ne peut supporter, il y a un bonheur qu'on ne saurait refuser. Avec Mi-tchéou, Martin découvrait le vrai sens de la vie. En tant que prêtre, il se scandalisait de l'inutilité de la prière. En tant qu'homme, il remerciait Dieu de lui avoir fait connaître la voleuse d'âmes.

Elle était la réponse à ses doutes. À son contact, les angoisses que ressasse l'esprit humain spéculant sur la mort cessaient de le tourmenter. L'instant présent comptait plus que l'éternité.

Mi-tchéou qui, à l'origine, devait piéger le prêtre s'était fait prendre à son jeu. Elle l'aimait. Elle veillait sur lui comme un ange, non comme une geôlière. Martin aimait cette femme. Cette trafiquante, cette courtisane, lui apprenait que le mystère de l'amour était plus grand que celui de la mort.

Un jour, Mi-tchéou le fit sortir de cellule afin de le conduire chez elle pour lui montrer l'écureuil à qui elle venait en aide. La voie du Bouddha prônant la compassion envers les animaux ouvrait de nouvelles perspectives à Launay, qui ne s'était jamais interrogé sur la souffrance des bêtes.

En observant l'écureuil, le prêtre se surprenait des ressemblances avec l'humain. Deux yeux, deux oreilles, un museau, une bouche, des dents. Le tout regroupé à la tête qui, à maints égards, évoquait un plan d'organisation similaire au nôtre. « Il y a de l'animal en nous, et de nous en l'animal », se dit Martin en regardant les mains de l'écureuil agripper les noix que lui tendait Mi-tchéou.

Si la paléontologie disait vrai, nos ancêtres lémuriens descendaient d'un mammifère arboricole proche de l'écureuil. « Un *ptilodus* », conclut le missionnaire en se souvenant avoir lu dans un livre plus ou moins à l'index le nom scientifique d'un de ces mammifères arboricoles ayant vécu il y a soixante-cinq millions d'années.

« Si nous descendons vraiment d'un mammifère préhistorique, se dit Martin, la Bible n'est plus qu'un ramassis d'âneries cherchant à imputer à l'homme la responsabilité du désordre introduit dans la Création par sa prétendue faute de désobéissance. Le Mal était présent dans la nature bien avant l'homme. Le paradis terrestre n'a jamais existé ailleurs que dans l'imagination de ceux qui ont écrit cette fable. »

La réflexion aurait dû le troubler. Elle le réconfortait plutôt car elle endormait les remords provenant de sa conduite avec celle qu'il aimait. Nuit après nuit, Mi-tchéou le réconciliait avec le péché. Rien ni personne n'avait préparé Launay au réconfort du péché.

Désormais sûr des sentiments du prêtre, Li-Tchen libéra enfin Launay. Le missionnaire était libre d'aller soigner les malades à la clinique. Il avait également l'autorisation de rendre visite au père Maizeret aussi souvent qu'il le désirait. De son côté, Maizeret, qui aurait pu partir, préférait la geôle à la honte.

*   *   *

La vie à Muong Sé n'était plus la même. Martin s'en rendit compte dès sa sortie de prison. Son prestige s'en trouvait diminué. Depuis le départ de Keng Chane, Champa et Xuyen qui, tel que convenu, avaient regagné Houei Tha, le prêtre se retrouvait seul. Les chrétiens de la mission avaient vu Champa à l'œuvre. À leurs yeux, tout comme aux yeux des patients animistes ou bouddhistes, les guérisons n'avaient rien de miraculeux.

Il y avait pourtant plus grave. De nombreux Laotiens connaissaient le drame de Xuyen, le jeune homme venu enlever des griffes des chrétiens la femme qu'il convoitait. Le désespoir de Xuyen éclaboussait la communauté catholique. Partie avec Maizeret dans la nuit rouge recouvrant la Chine, la jeune femme avait péri avec les autres. « Tout ce que vous demandez au père en Mon Nom vous sera accordé » avait promis le dieu crucifié. Maizeret et les siens lui avaient demandé d'éclairer la barbarie communiste par la foi des convertis. La barbarie avait triomphé.

Maizeret n'avait pas compris que Dieu ne tienne pas sa promesse. Les chrétiens de Muong Sé non plus. Seuls les bouddhistes avaient compris puisque toute vie est souffrance et que le monde n'est pas comme nous le souhaiterions. Quelle sagesse dans ces lapalissades !

Launay endormait ses doutes dans les bras de Mi-tchéou qui lui rendait visite presque chaque soir. Cette liaison que plus personne ne pouvait dissimuler faisait perdre la face au chaman en soutane.

Un jour on lui demanda : « Hé, monsieur mon père, tu veux essayer l'opium ? *Phou-sao* jig-a-jig et maintenant l'opium, hein mon bouc lubrique ! »

La première fois, on résiste. L'invitation fait peur. Oui, il avait fait jig-a-jig avec la *phou-sao,* mais la familiarité de ce « mon bouc lubrique » lui coupait l'envie de connaître les délices du sommeil empoisonné.

*   *   *

On dit que le Laotien est fumeur ou mangeur d'opium. Au pays du sommeil empoisonné, les préjugés ont la vie dure. Le verdict tombe comme une masse. Sans appel, sans clémence. Tout dans ce pays ressemble à une tentation : les belles fleurs, les belles filles, la résine, la récolte, les broussards et les combines. Une partie de l'âme humaine aime cette fange. Nous sommes ainsi faits, raisonnables à l'extérieur, crapules de cœur. Nous sommes tous mortels, alors pourquoi pas ? De toute façon, cette épopée se terminera au tombeau.

Mais Dieu, Martin ? Un athée fumeur d'opium, admettons. Un bouddhiste, passe encore. Mais un chrétien, prêtre et missionnaire ! Les bonnes raisons fusent cependant. Ne doit-on pas combattre le Mal en le connaissant ? À se tordre de rire. Maintenant qu'il connaissait le péché des femmes, avait-il la gueule d'un combattant de la chasteté ?

Il lui fallait se ressaisir, reprendre sa destinée en main. Non, il ne passerait pas de Charybde en Scylla ; de la *phou-sao* à l'opium.

Il devait renoncer à Mi-tchéou, ramener Maizeret à Houei Tha ; puis revenir ici dans ce bled pourri pour y consacrer le reste de ses jours à expier sa faute.

Étrange nature humaine qui, en dépit de ses bonnes intentions, cherche déjà le prétexte de sa rechute. Y revenir pour expier sa faute ? En vérité : expier sa faute ou retrouver Mi-tchéou ?

Launay apprivoisait la troisième Noble Vérité du Bouddha : la *samoyada*. Celle qui dit que les passions entraînent le malaise. Que la haine ou la soif de pouvoir provoque l'insatisfaction se comprenait aisément. Martin se rendait compte que même l'amour se transformait en *samoyada*. La voie du Bouddha lui disait de faire taire ce désir ; celle de Jésus, de mettre un terme à sa relation impie avec la belle Mi-tchéou.

Lui qui prônait une religion d'amour devait renoncer à ses sentiments véritables. À moins qu'il ne s'agisse d'un piège de Satan destiné à le détourner de Dieu, il se devait d'admettre la sincérité de l'amour qu'il éprouvait. Ses sentiments pour Mi-tchéou éclipsaient toute autre forme d'amour.

Son devoir lui imposait toutefois de ramener Maizeret à Houei Tha, puis de s'assurer que le père regagne Luang Prabang. Rassemblant ses convictions, Martin Launay prit la décision de quitter Muong Sé. Il renoncerait à Mi-tchéou. Tant mieux s'il ne la retrouvait pas à son retour.

*   *   *

—Vous vous décidez enfin à partir, lança Li-Tchen avec bonne humeur. Je vous laisse reprendre votre Maizeret pour qui j'ai préparé quelques boulettes d'opium. Ne faites pas cette tête, père chrétien. Si ce vieux fou faisait le trajet en état de manque, il finirait par vous étrangler dans une crise de rage.

—C'est ignoble, répondit Martin. Quand Desmoulins recevra mon rapport sur l'étendue de vos magouilles, il enverra la troupe ici.

—Desmoulins et moi nous entendons comme compères de foire.

—Même s'il trempe dans vos trafics, son devoir l'obligera à intervenir.

—J'en doute. Si j'avais peur des réactions de Desmoulins, je vous laisserais partir seul dans la jungle. Je mets pourtant trois jeunes gens de Muong Sé à votre disposition. Ils vous guideront jusqu'à Houei Tha. Ne suis-je pas beau joueur?

—Je pourrais me plaindre de mon emprisonnement.

—Portez plainte auprès de Desmoulins. Parlez-lui donc de vos «supplices» si vous voulez l'amuser. Allez, quittez Muong Sé et dites à vos semblables de ne plus nous expédier de missionnaires. Partez avant que je vous expulse en vous bottant les fesses.

Il n'y avait plus rien à dire. Martin, qui éprouvait la honte de son péché tout en étant tiraillé par des sentiments équivoques, savait qu'il devait mettre un terme à cette aventure. S'il restait, il finirait par remercier Dieu d'avoir mis cette délicieuse tentation sur sa route.

* * *

Launay rencontra les compagnons de voyage qui devaient le guider à travers la jungle. Sans approuver ou désapprouver le choix de ces accompagnateurs, il se sentait prêt à ramener Maizeret à Houei Tha. Le vieux missionnaire n'était pourtant guère enthousiaste à l'idée de partir.

Martin ne réagit pas en voyant les sbires de Li-Tchen placer des armes dans les bagages des Laotiens. Quand les gardes installèrent un havresac sur les épaules du père Maizeret, le vieux père oblat protesta qu'il voulait demeurer à Muong Sé.

—Vous venez avec moi, trancha Martin sur un ton n'admettant aucune réplique.

—Je n'irai pas à Houei Tha, fit Maizeret en se débattant avec le garde qui attachait les courroies du havresac.

Un milicien qui parlait un excellent français s'adressa au vieux père avec mépris :

—Li-Tchen vous expulse de son fief. Vous n'avez même plus droit à la prison. En plus des provisions, le maître vous offre pourtant des rations d'opium pour tout le voyage. Avec ses largesses, il va finir par se faire appeler Li-Tchen le débonnaire !

Launay ne put s'empêcher de sourire.

—Comment circulera-t-on sur le fleuve après la traversée de la jungle ? s'enquit Martin auprès du garde qui parlait bien français.

—Le maître a ordonné que des pirogues vous soient réservées au poste de ravitaillement situé au bout de la piste.

—Et les moteurs, le carburant ?

—Vous aurez tout ça en prime. Les largesses du maître me surprennent. Disparaissez
avant que le débonnaire ne change d'avis.

CHAPITRE DIX-SEPT
Le retour

De Muong Sé à Houei Tha. Laos, 1948.

Les broussards s'enfonçaient dans la jungle. Maizeret, Launay et les trois Laotiens parlaient peu tant ils n'avaient rien en commun. Les trois jeunes gens de Muong Sé limitaient leur conversation aux impératifs du voyage, Launay ne pensait qu'à son péché, Maizeret à l'heure de la prochaine boulette d'opium.

Martin se rappela qu'aucune cérémonie n'avait marqué leur départ. Ni *bacci* ni rassemblement de villageois, rien. Aucune prière bouddhiste ou chrétienne n'avait été dite à leur intention. Les catholiques de Muong Sé ne s'étaient même pas donné la peine de leur souhaiter bonne route. À croire que chacun souhaitait oublier les deux prêtres au plus vite.

« Tant pis pour eux, se dit Martin. À la clinique, ils se feront dire d'accepter leur sort puisque le monde n'est pas comme nous le souhaiterions. »

La journée du lendemain fut meilleure. Après une première nuit passée sous la tente dans l'hostilité de la jungle, chacun tenta un rapprochement avec les autres. En ce deuxième jour, les armes aboyèrent à plusieurs reprises quand, près d'une mare, des caïmans se firent menaçants. On tira d'abord pour se défendre, puis pour exterminer les bêtes.

Les frustrations des broussards trouvèrent un exutoire dans cette boucherie effectuée à la 30-30. Tous prirent plaisir au massacre. Personne chez les bouddhistes ou les chrétiens n'éprouva la moindre compassion. Les épithètes de « sales bêtes » et de « vermine » servirent à un joyeux transfert de rage qui s'acheva dans le rire général. Décidément, ça allait mieux.

Dans la mesure où Maizeret recevait ses doses d'opium, le voyage s'accomplissait dans une sérénité relative. Le vieux père réussissait à marcher sous l'effet de l'opium. De jour, on lui faisait inhaler sa drogue en petites doses. Le soir, il avait droit à une pleine ration.

Les broussards passèrent huit jours et sept nuits dans la jungle. En dépit de sa foi chrétienne, Launay se surprenait à craindre les *phis* quand la nuit tropicale prenait possession de la forêt. Dans les ténèbres, la présence de mauvais esprits semblait crédible. Seule la lumière du jour parvenait à les chasser.

Au terme du huitième jour, les voyageurs arrivèrent enfin au poste de ravitaillement tenu par deux familles de paysans. Launay fut agréablement surpris de trouver des pirogues équipées de moteur comme le lui avait promis Li-Tchen. L'influence du potentat ne pouvait plus faire de doute.

Les paysans, tout en déférence, refusèrent de se faire payer le carburant et les provisions. Ils invitèrent les visiteurs à passer la nuit dans leurs modestes demeures. Ils organisèrent ensuite un *bacci* destiné à protéger les voyageurs contre les démons du Mékong. Les trois Laotiens acceptèrent les rubans de *bacci*. Maizeret aussi les accepta au plus grand déplaisir de

Martin, qui refusa tout compromis avec le paganisme.

Le lendemain, ragaillardi par sa première nuit de bon sommeil depuis qu'il avait quitté Muong Sé, Martin Launay mit le cap sur Houei Tha en empruntant le fleuve. Les guides laotiens dirigeaient néanmoins l'expédition. Grâce à eux, le voyage se fit sans encombres. Ils ne rencontrèrent presque personne, comme si Li-Tchen avait demandé à tous de se faire discrets.

*   *   *

À Houei Tha où ils arrivèrent trois jours plus tard, la discrétion fit place à un accueil typiquement laotien. Des villageois accompagnés d'un bonze leur souhaitèrent la bienvenue. Les regards s'assombrirent quand ils reconnurent le père Maizeret.

— N'ayez donc pas l'air si surpris, lança Martin. Li-Tchen vous a sûrement prévenus que je revenais avec le père.

— Nous le savions, lança une voix que Martin reconnaissait.

C'était celle du *pho ban*, le chef du village qui l'avait jadis mis en garde contre Li-Tchen et les Hmongs.

— Alors pourquoi cet étonnement?

— Parce que plus vite ce prêtre dévoyé partira pour Luang Prabang, mieux ce sera, répliqua le *pho ban* en pointant le menton en direction de Maizeret.

— Je vous croyais plus accueillants.

— Bien des choses ont changé depuis votre départ.

— Si vite ? demanda Launay.

— Si vite.

Martin quitta les villageois et se rendit directement au bâtiment de la République française facilement reconnaissable au drapeau tricolore qui y flottait en permanence.

En entrant dans le bureau du commandant Desmoulins, Launay accusa ce dernier de tremper dans le trafic de l'opium. Il y alla de but en blanc, sans aucun ménagement. Il dit à Fernand Desmoulins, représentant officiel de la France à Houei Tha, qu'il savait trop bien que Li-Tchen, Keng Chane et lui comptaient parmi les plus importants trafiquants du Laos. Nullement ébranlé, Desmoulins laissait le prêtre proférer insultes et menaces.

— Je compte prévenir les autorités que vous touchez gros dans ces combines, conclut Launay.

— Elles ne vous croiront pas. Votre dénonciation se retournera contre vous. Ici, les Républicains voient les prêtres d'un très mauvais œil, surtout les prêtres étrangers.

— Je porte également plainte contre Li-Tchen, qui m'a emprisonné sans raison et qui, pour me discréditer, m'a enchaîné afin de m'obliger à briser mes vœux. Ses méthodes sont inadmissibles.

— Que voulez-vous que j'y fasse ?

— Envoyez la troupe à Muong Sé. Si vous ne le faites pas, vos supérieurs vous y obligeront.

Desmoulins explosa :

— Avec les Birmans, les Chinois et les Annamites, nous en avons jusqu'au cou des difficultés politiques. Sitôt terminée la guerre contre les nazis, voilà que la révolution communiste gronde à nos portes. Et vous venez vous plaindre des caresses d'une *phou-sao*.

— Elle était aux ordres de Li-Tchen.

— Vous voulez que j'expédie mes hommes dans la brousse entre les serpents, les tigres et les sangsues pour aller arrêter une petite catin inoffensive qui vous a fait triquer malgré vos vœux. Je deviendrais la risée de toute l'Indochine si j'appelais la troupe pour de telles niaiseries !

— Vous avez évidemment intérêt à protéger Li-Tchen puisque vous trempez avec lui dans l'arnaque de l'opium. Faut-il vous rappeler que votre devoir consiste à l'arrêter pour m'avoir séquestré.

— Plaignez-vous donc à mes supérieurs. Séquestrations, enlèvements, ils connaissent la rengaine. Au bout de quelques jours, les geôliers vous proposent de partir. Mais vous cherchez une excuse vous permettant de croupir une semaine de plus en prison. Ce ne sera pas la première fois que des prêtres viennent se plaindre de leurs propres faiblesses !

— Vous devez intervenir.

— Si des Occidentaux, qu'ils soient mes compatriotes ou non, se font malmener, je devrai effectivement intervenir. Mais j'ai besoin d'une cause sans faille. Accusez-vous Li-Tchen de vous avoir séquestré ?

— Oui.

— L'accusez-vous de vous avoir gardé en geôle sans raison ?

— Oui.

—Vous me surprenez. Officiellement, vous avez fait deux semaines de prison pour vous être installé sans autorisation sur les terres personnelles de Li-Tchen. Vous avez ensuite reçu une sentence de trois autres semaines pour avoir frappé une femme.

—J'ai giflé une putain.

—Ce qui vous a valu vos trois semaines. Au total, cinq semaines pour installation illégale et voies de fait. Le verdict me paraît modéré.

—La vie en prison est un véritable tourment.

—Je peux vous faire examiner par le médecin. Nous pousserons l'affaire plus loin si vous avez été frappé ou blessé.

—Vous savez très bien ce qu'ils nous font subir.

Desmoulins affichait son air suave lourd de sous-entendus qui déplaisait tant au prêtre. Le militaire fit un geste désinvolte signifiant que ce genre de « supplices » ne justifiait pas une intervention militaire.

Ulcéré, Launay revint à la question du trafic de drogue :

—Qu'est-ce qui vous porte à croire que les autorités françaises ne séviront pas contre vos magouilles ?

—Parce que, en ce moment même, des troubles éclatent au Tonkin et en Annam. Des rebelles communistes se faisant appeler Viêt-minh ont pris le maquis dans le but avoué de nous bouter hors de l'Indochine. Dans ce contexte, vous comprendrez que la France se contrefiche du trafic d'opium. Ma valeur morale laisse les autorités de glace. Elles ne s'intéressent qu'à ma valeur militaire.

Launay se sentait terriblement seul. Il savait l'inutilité de porter plainte contre Desmoulins. Il quitta le bâtiment et se promena dans Houei Tha où il espérait trouver Xuyen. Bien que n'ayant rien à voir dans la décision du père Maizeret de conduire la communauté chrétienne en Chine, Martin se sentait éclaboussé par cette déconvenue. Partie avec les autres croyants de Muong Sé, la belle Yunan que convoitait Xuyen avait péri dans l'aventure. Si Maizeret avait manqué de jugement, Jésus, lui, avait manqué à sa parole.

La question tourmentait Martin. « Tout ce que vous demandez au Père en Mon Nom vous sera accordé. » Pouvait-on reprocher à Maizeret d'avoir cru à ce mensonge éhonté ? D'accord, Launay n'aurait pas été assez fou pour conduire les chrétiens en Chine. Il ne croyait pas à ce « tout ce que vous demandez… » Beau chrétien. Aux prises avec ses remises en question, Martin cherchait Xuyen. Il ne le trouva jamais.

*   *   *

Le lendemain, Keng Chane vint à la rencontre du prêtre. Il lui dévoila sans signe apparent de remords l'étendue du complot que lui et les Hmongs avaient ourdi contre le missionnaire. D'abord l'appât : Mi-tchéou, qui depuis toujours avait partie liée avec les trafiquants. Puis, l'emprisonnement pour entrée illégale sur les terres de Li-Tchen, entrée d'ailleurs orchestrée par Keng Chane. Ensuite les « supplices » ordonnés par le potentat, qui se faisait conseiller par nul autre que Keng Chane.

—Maintenant, vous comprenez, père Launay, conclut le jeune Birman en affichant un air de dédain n'appartenant qu'à lui seul.

Le faux chrétien se ménagea une pause, puis reprit avec fierté :

—Mon épouse et moi devons tout à Li-Tchen pour qui nous travaillons.

—Trois belles ordures, glissa Martin.

—Je suis un des grands trafiquants de ce pays, coupa Keng Chane comme s'il se targuait d'un titre de noblesse. Je n'ai cependant pas choisi mon karma. Quand j'étais jeune, ma mère s'était entendue avec Li-Tchen pour préparer mon avenir.

—L'entente prévoyait que tu deviennes extérieurement chrétien, fit Launay qui se rappelait des intuitions de Maizeret. Pourquoi Li-Tchen faisait-il confiance à ta mère ? Elle n'était sûrement pas la seule Hmong de la région.

—Elle était native de Muong Sé. Ma mère connaissait bien le maître chez qui elle travaillait.

—Je vois.

—Ce n'est pas tout. Ma mère gardait souvent la petite-nièce de Li-Tchen, une très belle fille qui, devenue adulte, obtint la confiance absolue du maître. Elle s'appelait Benazaire Srila.

—Ton épouse.

—Oui. C'est la petite-nièce du roi de l'opium.

—Comment avez-vous pu pourrir le Laos à ce point ? demanda Martin encore sous le choc des révélations de ce faux jeton.

— Nous avons toujours obtenu le soutien de gens comme Desmoulins que le maître achète ! Des potentats de la trempe de Li-Tchen offrent leur appui à l'Indochine française qui, en retour, ne tient pas vraiment à sévir contre nous.

— Que venaient donc faire Xuyen et Champa dans cette histoire ? s'enquit Martin.

— Ils n'ont pas trempé dans votre chute. Champa n'écoutait que son grand cœur. Dans sa mentalité, sauver un buffle valait le voyage. Quant à Xuyen, seule la voie du Bouddha en qui il croit encore l'empêche de vous égorger de sa main. À l'origine, Xuyen était assez bien disposé envers les chrétiens. Plus maintenant. Priez Dieu de ne plus jamais le rencontrer.

Ces propos remplirent le cœur du missionnaire de tristesse. En faisant tuer, même involontairement, la femme que Xuyen voulait épouser, Maizeret avait commis l'impardonnable aux yeux du jeune Laotien. Pour Xuyen, la mort de Yunan partie « témoigner de sa foi » resterait en permanence la seule image tangible du christianisme. Il lui faudrait un courage inouï pour vaincre la haine qui l'habitait désormais. Xuyen devrait mobiliser toutes les ressources de la sagesse pour ne pas sombrer dans la passion de la vengeance.

*   *   *

Martin Launay resta moins d'un mois à Houei Tha. Après avoir pris toutes les dispositions pour que le père Maizeret regagne Luang Prabang, le missionnaire décida de revenir à

Muong Sé. Il comptait consacrer le reste de ses jours à œuvrer auprès des plus pauvres. Sa vie ne lui appartenait plus en propre. Elle appartenait à Dieu, qui lui indiquerait le droit chemin. Mais le droit chemin est souvent couvert d'embûches, surtout pour un prêtre.

On disait autrefois que, dans les monastères creusés à même les falaises des déserts de la Terre sainte, des démons tentaient les moines afin de les empêcher d'accéder au ciel. À chaque échelon de l'échelle de la vie monastique conduisant au paradis, un démon s'évertuait à faire chuter celui qui s'imaginait faire son salut en jeûnant. Tentations de gourmandise, d'orgueil, de vanité, de paresse, de luxure, de manque de charité, de blasphème. Tout y passait. Les moines tombaient comme des mouches.

Dans le cas de Launay, le démon usa de plus de psychologie. Il lui fournissait une excuse valable, celle d'offrir sa vie aux plus pauvres. Il lui ouvrait en même temps la trappe de la luxure. Amour ou luxure ? L'astuce consistait à ne pas répondre. Le démon murmurait à la conscience du prêtre que, de toute façon, Mi-tchéou serait déjà partie. Habile tentation.

Martin Launay repartit à Muong Sé accompagné de trois solides Laotiens. Il devait rester encore cinq ans au Laos.

CHAPITRE DIX-HUIT
La tombée du rideau

Muong Sé. Laos, 1949.

La traversée de la jungle releva de l'exploit. En raison de l'humidité exacerbée par la saison des pluies, l'enfer vert semblait plus chaud qu'auparavant. Martin, qui effectuait ce trajet pour la troisième fois, se surprit de comparer l'aventure à un chemin de croix. « La troisième chute du Christ », se dit-il sans trop savoir par quel piège du Malin il entretenait de telles pensées.

L'enfer vert dura huit longues journées. À cause de la pluie qui tombait par intermittence, la moindre feuille cachait des petites sangsues qui trouvaient le tour de s'aplatir jusqu'à pouvoir se glisser entre les lacets et les œillets des bottes. Le prêtre en était écœuré au point de se demander pourquoi Dieu avait créé ces saloperies. Aux yeux du missionnaire, l'existence de ces dégoûtantes bestioles remettait en question la notion d'acte de bonté associée à la Création. Launay s'accrochait plus à l'espérance qu'à la foi. Il souffrait de ne pas croire aveuglément, enviant au passage la foi du charbonnier qu'il aurait tant aimé avoir comme compagne tout au long de sa vie.

Car les prêtres ont leurs moments de doute. Ils reçoivent malgré eux la visite du scepticisme rationnel quand, dans le secret de leur cœur, ils envisagent la possibilité d'entretenir une illusion. Une illusion que leur métier pousse d'ailleurs à faire partager aux autres. Pour que leur engagement ait encore un sens, ils s'accrochent à l'espérance comme à la seule bouée offerte au genre humain. Ils en éprouvent un vertige à peine supportable. Dans leur optique, sans la survie de l'âme après la mort du corps, les humains, le cosmos, l'univers n'ont plus ni cause, ni raison, ni sens. Tout, absolument tout, n'est plus alors qu'une farce excrémentielle.

Cette hypothèse inadmissible les renvoie à eux-mêmes. Seuls devant l'angoisse, les prêtres se reprochent ces instants de doute. L'existence de Dieu leur apparaît si nécessaire qu'ils y croient encore plus fort. C'est l'argument de la soif qui prouve l'existence de l'eau. La soif de Dieu démontre Dieu. Et les prêtres font taire la raison, ils ne veulent plus l'écouter. Ils somment la séductrice de partir. *Vade retro Satanas.*

Et pourtant ! Dès qu'il regagna Muong Sé après cette pénible traversée, Launay retrouva Mi-tchéou. Sa joie fut si grande qu'il ne pensa même pas à lutter contre ce démon à figure d'ange. *Vade retro...* Que non ! Toutes ses résolutions tombèrent comme autant d'encombrantes pelures.

Il ne voulait plus se ressaisir, il se sentait léger comme un papillon prenant son envol vers la lumière du soleil. Il aurait dû en éprouver de la honte. C'est à peine si une vague impression de remords effleura son esprit. Martin découvrait la vie. Dans son aveuglement, il fut à deux doigts d'en remercier le Seigneur.

Sa désinvolture presque sacrilège le conduisit à vivre ainsi quelques mois d'un étrange bonheur. Incapable de résister à la voleuse d'âmes, Launay tentait de concilier son travail auprès des plus pauvres avec son amour impie. Mais il se rendait compte que le monde changeait autour de lui. Le regard des Laotiens n'était plus le même. Cette transformation n'avait toutefois rien à voir avec son amour pour la belle Mi-tchéou.

*   *   *

La politique pourrissait les cœurs. Les échos de la victoire inéluctable de Mao en Chine résonnaient à Muong Sé. Chaque nouvelle ville gagnée par les rouges rendait les communistes plus enthousiastes. L'Indochine française tremblait de partout. Les communistes qu'ils soient Birmans, Chinois, Vietnamiens ou Laotiens se sentaient désormais prêts à conquérir tout le Sud-Est asiatique.

En 1949, la France ne pouvait déjà plus tenir contre le Viêt-minh. Un peu comme celui qui voudrait construire un mur de galets contre la marée montante, la France luttait contre le déferlement de la vague rouge. Elle expédiait ses militaires au bout du monde tout en sachant, au plus profond de son âme, que l'aventure indochinoise se terminerait bientôt en un bain de sang.

Afin de sauver ce qui pouvait encore être sauvé, la France accorda une semi-autonomie au Laos. Cette fausse solution mécontenta tout le monde. Avec le conflit qui s'aggravait au Viêtnam, le nord du Laos échappa au contrôle de la France. Des gens comme Desmoulins furent bientôt mutés au Viêtnam où la France tentait désespérément de sauver son empire asiatique. Au Laos, des aventuriers, des maquisards, des communistes sincères ou opportunistes occupèrent les provinces du nord. L'influence de la France n'y était plus que nominale.

Launay craint pour sa vie lorsqu'il vit des miliciens au foulard rouge entrer dans Muong Sé. Il avait ensuite craint de recevoir de ses supérieurs un ordre d'évacuation. Martin, qui prenait enfin pleinement conscience de sa faute, cherchait l'expiation dans le martyre. Il croyait que les marxistes commenceraient par éliminer des potentats comme Li-Tchen pour ensuite tuer les lèche-bottes par trop compromis avec les puissances coloniales. Ils fusilleraient alors les prêtres et les étrangers. C'était mal connaître ce coin de pays. Car Li-Tchen, qui logiquement aurait dû valser devant le peloton d'exécution, était apprécié des communistes.

— Pourquoi les rouges l'épargnent-ils? demanda un jour Martin à Mi-tchéou.

— Pour la même raison qu'ils me protègent, répondit la voleuse d'âmes. Les communistes nous trouvent fort utiles. Les trafiquants d'opium amènent des devises aux nouveaux maîtres. La politique pourra bien changer, le triangle d'or restera à la même place.

— Mais vous empoisonnez votre propre peuple!

— C'est la loi du triangle d'or, Martin.

— N'es-tu pas Laotienne?

—Je suis Hmong. Et toi, n'as-tu pas déjà dit à mon sujet : « Putain et trafiquante, qui d'autre qu'une Hmong ? »

—Tu as eu vent de cette conversation ? Je parlais alors de Nguoc, la sirène du Mékong.

—Je suis Nguoc, tu le sais bien.

Ce fut leur première brouille. Launay, qui s'était détourné de Dieu pour vivre avec cette trafiquante, détestait sa faiblesse. Cette putain Hmong, cette Nguoc de l'opium jouant à la sirène aux dépens de son peuple, s'avérait indigne d'amour. Launay aimait un démon qui l'avait fait chuter. Cela ne pouvait plus durer.

*   *   *

Mi-tchéou quitta Muong Sé à la suite de la brouille avec son amoureux. Elle obtint auparavant la garantie de Li-Tchen de laisser la vie sauve à Martin. En accord avec les maquisards communistes, Li-Tchen expédia Mi-tchéou en Birmanie où elle travaillerait désormais au trafic de l'opium avec les montagnards Hmongs installés en pays birman. Après le départ de la voleuse d'âmes, le potentat convoqua le missionnaire à ses quartiers.

Martin, escorté des gardes de Li-Tchen qui arboraient maintenant une étoile rouge à leur béret, ne comprenait pas que les communistes acceptent de frayer avec le roitelet de Muong Sé. S'il avait été marxiste, Launay aurait fait fusiller Li-Tchen séance tenante. Comment, avec un idéal comme celui de la libération de l'Homme, ces révolutionnaires osaient-ils pactiser avec une telle charogne ?

On le conduisit au quartier général de Li-Tchen situé dans le bâtiment ressemblant à un palace.

— Vous êtes devenu bolchevique ? demanda le prêtre au potentat.

— Je leur suis utile. Que Muong Sé soit dirigé par la France, le Laos ou les communistes, je demeure le roi de l'opium.

— Les marxistes s'intéressent-ils plus au pavot qu'à la libération de l'Asie ?

— Un marxiste reste un homme, père Martin. Il peut aimer la poésie et les femmes.

— Et l'argent.

— Faiblesse humaine. Vous-même avez vos faiblesses, non ? Si le vœu de pauvreté me semble à peu près tenu, j'ai bien l'impression que côté chasteté… Allons Launay, ne venez pas me dire que vous forniquiez au nom de la virginité ! Vous êtes plutôt mal placé pour nous faire la morale.

— Que me voulez-vous ?

— Rassurez-vous, cette fois je ne vous réserve ni prison ni supplices. Je veux vous parler de Mi-tchéou.

Li-Tchen lui expliqua que la belle Mi-tchéou ne reviendrait pas de sitôt. Le prêtre apprit que, par amour pour lui, la trafiquante avait négocié la vie sauve du prêtre.

— Vous êtes désormais protégé, ajouta Li-Tchen. Ni moi ni les communistes ne tenteront quoi que ce soit contre vous.

Il marqua une pause, puis reprit plus narquois que jamais :

Rouge d'Orient

— Nguoc qui étend sa protection au prêtre fornicateur, les communistes qui pactisent avec ce cochon de Li-Tchen, c'est ça le Nord sauvage, père Martin ! Vous rêviez déjà d'aventure quand, dans votre pays de glace, vous pensiez à l'Extrême-Orient. Vous voilà servi, prêtre de *bacci*. Avouez que je ne vous ai pas déçu ! Maintenant, allez soigner vos malades. Renoncez à votre amour sacrilège et ne provoquez plus personne.

— Les communistes me ficheront-ils vraiment la paix ?

— Croyez-le ou non, ils n'auront même pas le cœur de s'en prendre à vous.

— Pourquoi donc ?

— Parce que je leur ai demandé. Je leur ai dit : « Laissez donc ce pauvre satyre à son karma. Si vous voulez convaincre nos villageois du caractère bouffon de la religion de cet étranger, vous n'aurez qu'à leur parler des ébats du chaman en soutane. De beaux exploits dignes de la chasteté du Christ. »

— Vous m'avez discrédité, débuta le père en un geste de protestation.

— À un point tel, coupa Li-Tchen, que même revenu à Muong Sé malgré mes conseils, vous n'êtes plus un adversaire de taille.

Le potentat, qui souriait, laissa tomber avec mépris :

— Aucune crédibilité. Retournez à vos bondieuseries et laissez-nous donc trafiquer en paix.

*   *   *

Le missionnaire se consacra aux plus pauvres. Il avait enfin réussi à se ressaisir. Mais pour Launay, tout était déjà joué. Rien de ce qu'il put faire au cours des années suivantes ne sut effacer le souvenir vaudevillesque des premiers mois de l'aventure laotienne. Un peu comme le joueur de poker ayant épuisé ses meilleures cartes, il tenta de se refaire la main avec un deux de pique et un trois de carreau.

Martin Launay fut pourtant un bon missionnaire. Libéré de Mi-tchéou, il consacra les meilleures années de sa vie aux déshérités. Avec beaucoup d'efforts, il réussit à maintenir l'approvisionnement de médicaments entre Houei Tha et la clinique de Muong Sé.

*　　*　　*

Les communistes se retirèrent du nord du Laos. Entre 1949 et 1953, le pays connut une période de flottement qui se termina par la reconnaissance formelle de l'indépendance du Laos en 1953. Pendant toutes ces années incertaines, Martin s'avéra à la hauteur des attentes de ses supérieurs.

En 1954, le désastre militaire des armées françaises à Dien Bien Phu, au Viêtnam, marqua la fin d'une époque. Launay reçut l'ordre de quitter le Laos. Il avait obtenu quelques conversions auprès des Khamus superstitieux, aucune chez les bouddhistes.

Martin fut rapatrié au Canada et consacra le reste de sa vie à l'enseignement. Il garda le contact avec le Laos, ce pays fabuleux qui ne devait jamais quitter son âme.

À partir de 1960, des luttes fratricides déchirèrent le Laos. Partisans du roi, communistes et partisans de la République s'affrontèrent violemment. C'est dans ce contexte de guerre civile que les oblats obtinrent enfin des conversions. De nouveaux missionnaires, mieux préparés que Launay, enregistrèrent des gains chez les paysans pratiquant le culte des ancêtres. Presque personne chez les bouddhistes n'adhéra toutefois au christianisme.

Ces gains modestes furent de courte durée car la tempête rouge s'abattit sur le pays. Dans les années 1970, les communistes assimilèrent christianisme à colonialisme, chrétien à traître à la patrie. Si certains révolutionnaires firent preuve de tolérance, d'autres affichèrent un zèle incompatible avec la voie du Bouddha. En 1975, le Laos devint officiellement marxiste. L'année suivante, de nombreux intellectuels préférèrent quitter le pays.

La répression demeura limitée en raison de la tradition de tolérance imprégnant le Laos. Quelques commissaires du peuple dépassèrent cependant les bornes. L'un d'entre eux fut surnommé le diable rouge par les chrétiens. Il s'appelait Xuyen Lee DucTho.

Animé d'une rage meurtrière, Xuyen fut un des communistes les plus fanatiques du pays. Contrairement aux marxistes motivés par la lutte des classes, Xuyen ne semblait intéressé qu'à abattre le christianisme. Il veilla personnellement au déplacement de la population d'un des rares villages chrétiens. Il revint ensuite à Muong Sé où on raconte qu'en 1977, le diable rouge fit fusiller tous les chrétiens de la mission. « Ils ont tué mon amour », aurait-il donné comme seule explication à la boucherie. Xuyen s'était détourné de la voie du Bouddha.

*   *   *

Le Laos délaissa graduellement le dogmatisme rigide du marxisme-léninisme. Le pays s'ouvrit timidement à l'Occident. Il n'adopta pourtant jamais le culte des pères étrangers qui, depuis les années 1890, avaient expédié des missionnaires convaincus de pouvoir « convertir ce pays à convertir qui ne se convertit pas ».

Aujourd'hui, moins d'un pour cent de la population du Laos se dit chrétienne. De ce semblant de pourcentage obtenu surtout auprès de ceux qui pratiquaient les religions primitives, les véritables *Laos* ne représentent presque rien. À leurs yeux, d'immondes paysans superstitieux à qui on avait promis n'importe quoi ont fini, effectivement, par croire à n'importe quoi.

Seule la voie du Bouddha empêche le doux pays des pagodes de renifler de mépris.

*   *   *

Rimouski, 2008

Par les voies de l'esprit, l'ancien missionnaire avait revécu avec moi ces quelques mois du début de l'aventure laotienne qui avaient infléchi le cours de sa vie.

Rouge d'Orient

Il quitta ce monde partagé entre ses doutes et ses certitudes, heureux de trouver la force de cabotiner à l'approche de la mort. Martin garda son panache jusqu'à la fin.

Comme je le comprenais ! En revanche, je n'ai jamais saisi la foi de Launay. Ses doutes étaient si proches des miens que j'ai souvent vu en lui un athée en soutane. Peut-être, je ne saurais cependant le jurer, s'était-il fait prêtre en raison de pressions familiales.

Je suis longtemps demeuré au chevet du malade, découvrant jour après jour ses étranges souvenirs, qu'il mêlait adroitement à la description de ses états d'âme. Sur mes instances, ce vieux père que j'aimais bien m'aida à extrapoler les conversations qu'auraient pu avoir les nombreux personnages de ce récit. Savait-il que j'écrirais son aventure ? Le souhaitait-il ?

*   *   *

Ce fornicateur impénitent au service d'une Église aujourd'hui éclaboussée par les exploits de ses pédérastes m'a souvent fait sourire. Il y avait entre lui et moi une connivence dans le mépris des convenances. Je crois que Martin espérait compenser par une « confession » scabreuse la réputation exécrable des prêtres. Dans le fond de son cœur, il voulait me montrer que les ecclésiastiques attirés par les femmes formaient d'aussi mauvais prêtres que les homosexuels.

Venant d'un père jeune et en santé, ce clin d'œil à l'insolence ne m'aurait guère surpris.

Mais comment un mourant pouvait-il envisager de quitter ce monde avec ce genre de cloaque accroché aux lèvres?

Ses hésitations face à Dieu étaient les miennes, comme celles de tout homme sensé. Ses manquements m'ont parus si humains que je devinais qu'il croyait peu à la gravité de ses fautes. Peut-être y a-t-il dans le péché un dénominateur commun qui nous unit et nous réconforte. Je ne crois pas trop m'avancer en lançant cette hypothèse puisque toute l'attitude du vieux prêtre reflétait ce goût de rejoindre les autres dans leur humanité, si médiocre soit-elle.

Martin savait que le doute rassure plus qu'il n'inquiète. « L'athée ferait moins le faraud s'il était absolument convaincu du néant après la mort, me confia-t-il un jour. De même, le croyant qui n'entretiendrait jamais le moindre doute vivrait dans la terreur permanente de l'enfer. C'est cette petite part d'incertitude qui nous rend l'angoisse supportable. »

Launay croyait surtout à l'espérance. À défaut d'une foi aveugle, il ressentait cette soif de Dieu que rien ne pouvait étancher. Comme tous les missionnaires expédiés au Laos, aussi bien les bons que les faibles, il se surprenait que les Nobles Vérités du Bouddha fassent si peu de cas de Dieu. En Orient, l'absence de cette soif de Dieu si ardente en Occident l'avait scandalisé.

Launay me confia pourtant qu'avec son Inquisition et ses tortures, l'Église du Christ avait prouvé sa méchanceté. Dans ce contexte, les manquements à la chasteté lui paraissaient bien inoffensifs. Launay aura donc tenté de se dédouaner avant d'entrer dans l'éternité. Il aura aussi voulu me faire comprendre que quelques mois peuvent changer le cours d'une vie.

Au cours de ma vie, j'ai moi aussi connu quelques mois qui ont tout changé. Et, comme Launay qui mettait en doute la réalité du libre arbitre, je plaide les circonstances atténuantes. En ce sens, je suis semblable à tous les êtres humains qui, du berceau à la tombe, voient dans le caractère inéluctable de la mort l'excuse toute trouvée à leurs manquements.

Avant de mourir, Launay voulait que je sache que la soutane du prêtre ne le protégeait pas du doute, encore moins des frasques et des compromissions ! Est-ce la certitude de la mort qui nous rend faibles, pécheurs et si médiocres ?

* * *

Martin, qui rendit l'âme en septembre 2008, estimait que nos faiblesses étaient partout les mêmes. Elles nous unissent dans la médiocrité qui, selon lui, caractérise l'humanité depuis la nuit des temps. Hommes ou femmes, Orientaux ou Occidentaux, athées ou croyants, tous des médiocres.

Mais des médiocres qui, au cours de leur passage sur terre, auront parfois eu du panache, du mordant et de l'impertinence à revendre. Il y aura des cas où on jugera qu'au moins ça avait eu de la gueule.

C'est ce que l'officiant aurait dû dire à la cérémonie funèbre : « Mauvais croyant, mauvais missionnaire, mauvais chrétien. Mais notre Martin avait de la gueule. »

Avoir de la gueule, tout un programme ! De Luang Prabang à Muong Sé, du péché d'orgueil à celui de la chair, c'était là, je crois, la motivation profonde de mon bien-aimé lointain parent, Martin Launay.

TABLE

DANS LA MÊME COLLECTION

ROMANS

BUJOLD, Wilbrod-Michel, *L'Inpudicité*, roman interréactif

COUROUBLE, Marie-Agnès, *Et si vous étiez Musset…*, roman

COUROUBLE, Marie-Agnès, *Sept heures d'absence*, roman

DE LUCA, Françoise, *Pascale*, roman

DION, Patrice, *Le Donneur de songes*, roman

DOUCET, Patrick, *La Vie très extraordinaire de Lloyd Newton*, roman ou quelque chose comme ça

HARNOIS, Suzanne, *Le Chalet maléfique*, roman

JULIEN, Bernard, *Demain, je partirai*, roman

LEDUC, Normand, *De l'étoffe des miroirs*, roman en escalier

MALOUF, Pierre K., *Les Enfants de Schubert*, roman

MALOUF, Pierre K., *Les Soupirs du cloporte*, roman

POTVIN, Yves, *Nuits afghanes*, roman

RAMSAY-TARDIF, Pierre, *La Cafetière*, roman

RIVET, Michel, *Oublier Montréal*, roman

SAINT-CERNY, Anne-Marie, *La Jouissance du loup à l'instant de mordre*, roman

SZUCSANY, Désirée, *Les Fées des lacs*, roman champêtre

THIBAUDEAU, Michel, *Clara émoi*, roman

VAILLANCOURT, Denis, *Le Placard*, roman

VERVILLE, Guy, *L'Effet Casimir*, roman tranquille

Nouvelles et contes

Doucet, Patrick, *Les Os*, conte

Harnois, Suzanne, *L'Artiste inconnu*, nouvelles

Harnois, Suzanne, *La Femme parfaite*, nouvelles

Lapierre, Frédéric, *Le Banc*, nouvelles

Poirier, Robert, *Le Raconteur*, nouvelles

Potvin, Yves, *Les Contes du haschisch*, contes

René, Nicole, *Histoires de fragilité*, nouvelles

Récits et carnets

Bissonnette, Louise, *Terre d'argile*, récits

Boutenko, Olga, *Moscou-Québec. Récits d'une immigrante*, récits

Huot, Alain, *Journée de courrier*, récit

Landry, François, *XX (Hecho en Mexico), récit de voyage falsifié*, suivi de l'essai *Cloner le passager clandestin d'un navire en cale sèche*

Muir, Michel, *L'Errance féconde*, carnets intimes

Verville, Guy, *La Vie dure*, récit

Fiction historique

Blanchet, Renée, *Les Filles de la Grande-Anse, histoires de conquête*, nouvelles

Blanchet, Renée, *Les Montréalistes*, roman

Blanchet, Renée, *La Chouayenne, récits de 1837-1838*, nouvelles

Blanchet, Renée, *Marguerite Pasquier, fille du roy, chronique de la Neufve-France*, roman

Dufour, Moïsette, *Les Quatre-temps*, roman

Théâtre

BRUNET, Jean-Marc, *La Tête à Papineau*, drame historique en sept scènes

MALOUF, Pierre K., *Gertrude Laframboise, agitatrice*, drame

Poésie

BEAUREGARD, André, *Œuvres complètes*, poésie et prose poétique

PÉLOQUIN, Claude, *Dans les griffes du Messie. Œuvres, 1970-1979*, poèmes

PÉLOQUIN, Claude, *Une plongée dans mon essentiel* suivi de *Les Décavernés*, poèmes et récit poétique

PESANT, Ghislaine, *Fracture, double*, poèmes

Achevé d'imprimer
en septembre deux mille trois, sur les presses
de l'Imprimerie Gauvin, Hull, Québec